D1311046

SAVOUREUSES EXPRESSIONS
QUÉBÉCOISES

Marcel BÉLIVEAU
ET Sylvie GRANGER

SAVOUREUSES
EXPRESSIONS
QUÉBÉCOISES

ÉDITIONS DU
ROCHER
Jean-Paul Bertrand

Introduction

Le français n'est peut-être pas la langue la plus répandue au monde, mais il est quand même parlé sur presque tous les continents. L'anglais a été retenu pour les affaires et le français pour la diplomatie. Même si le dictionnaire propose une définition pour un mot donné, l'usage et la signification de ce dernier ne sont pas nécessairement les mêmes d'un pays à l'autre.

Un Français qui se rend au Québec pour la première fois sera parfois dérouté par une expression qui ne lui est pas familière. Il s'agit pourtant souvent des mêmes mots mais employés de façon différente. Vous trouverez dans ce lexique une panoplie de mots et d'expressions utilisés couramment au Québec mais pas nécessairement en France. Pour faciliter la compréhension du sens de certaines expressions, des exemples se rapportant aux situations où elles peuvent être utilisées ont été apportés.

Les mots et les expressions ont aussi été volontairement écrits comme ils se prononcent. Toutefois, pour aider à la lecture, nous avons ajouté la « version » avec la bonne orthographe. Comme plusieurs mots sont tirés directement de l'anglais, une légère traduction s'imposait. Nous avons tenté de rendre le tout le plus simple possible.

Certains mots et expressions parfois vulgaires et grossiers, n'ont pas été laissés de côté, puisqu'ils font partie du langage populaire. Pas celui que l'on parle ou que l'on entend à la radio ou à la télé ou que l'on écrit dans les journaux. Mais, le langage des gens de la rue. Celui de la masse. Pas celui utilisé par un Premier ministre en public ou par un prédicateur en chaire, mais par un ouvrier ou un plombier. Voilà pourquoi il était important d'en parler.

En plus des mots, votre oreille devra se familiariser avec l'accent. L'accent en lui-même, n'est autre chose que la marque et la signature d'un coin de pays. L'accent que l'on retrouve en Gaspésie, en Beauce ou dans la ville de Québec, n'est pas le même qu'à Montréal. Il en est ainsi de l'accent parisien et de l'accent marseillais par exemple.

Le français est une langue merveilleuse. Qu'on le parle en France ou au Québec, on retrouvera toujours cette même richesse des mots...

Marcel et Sylvie Béliveau.

MOTS POPULAIRES

Achalant

Agaçant, qui tombe sur les nerfs.

Ex. : *Je n'ai jamais vu quelqu'un d'aussi achalant, il me téléphone aux cinq minutes.*

Achaler

Déranger, agacer, perturber.

Agace-pissette (une)

Qualificatif que l'on donne à une fille qui s'habille de façon indécente et qui se comporte comme si elle était prête à tout.

Aiguisoir

Taille-crayon.

Allô !

Interjection employée à tous moments et qui n'est pas réservée que pour répondre au téléphone.

Ex. : *Allô ! comment vas-tu ?*

Ex. : *Tiens, allô toi, il y a longtemps qu'on t'a vu.*

Allumer

Prendre conscience de quelque chose. Comprendre, ouvrir les yeux sur une situation.

Ex. : *C'est la troisième fois que je t'explique, qu'est-ce que ça te prend pour allumer ?*

Ex. : *Lui, ça ne lui en prend pas beaucoup pour allumer, il comprend vite.*

An...

Signifiant hein !

1. Utilisé dans le langage populaire pour demander à son interlocuteur de répéter ce qu'il vient de dire parce qu'on n'a pas bien entendu.

Ex. : *An... quest-ce que tu viens de dire ?*

2. Pour exprimer la surprise et l'étonnement.

Ex. : *An... il est déjà parti.*

Anniversaire

Mot rarement employé pour parler du jour de la naissance. On l'utilise plutôt pour parler de l'anniversaire de mariage, de l'anniversaire d'un décès, etc. Dans le langage populaire, fête est davantage utilisé qu'anniversaire.

Ex. : *Samedi dernier c'était notre anniversaire de mariage. Nous sommes allés au restaurant pour fêter ça.*

Ex. : *Dimanche prochain c'est l'anniversaire de la mort de mon grand-père. On ira tous à l'église pour se recueillir.*

Appartements

Pièces dans un logement ou une maison.

Ex. : *Là où j'habite il y a cinq appartements.*

Ex. : *Dans la maison de ma grand-mère, il y a au moins quinze appartements.*

B

Bain
Baignoire.

Bajoues
(Déformation du mot abajoues)
Quand on veut parler des belles joues rondes d'un enfant.

Balayeuse
Aspirateur.
Ex. : *Tu serais gentil, pendant mon absence, de passer la balayeuse dans le salon.*

Balloon (balloune)
(Du mot anglais *balloon*)
1. Ballon.
2. En parlant d'une personne de forte corpulence.
Ex. : *As-tu vu la balloune ?*
– Où ça ?
– Là, regarde le gros qui traverse la rue.

Baqua
Qualificatif peu flatteur que l'on donne à quelqu'un de trapu.

Peut également servir pour interpeller quelqu'un de façon impolie.

Ex. : *Hey baqua ! Tasse-toi, tu bloques l'entrée.*

Barbier

Coiffeur pour hommes.

Barniques

Dans le langage populaire, lunettes, verres correcteurs.

Ex. : *Hey, les barniques, pousse-toi de là ! (un automobiliste s'adressant à un autre conducteur portant des lunettes).*

Bâré

1. Pour parler d'un tissu à rayures.

Ex. : *Aujourd'hui je crois que je vais mettre ma belle chemise bârée. Tu sais, la blanche et bleue.*

2. Aussi pour désigner quelqu'un qui est devenu indésirable quelque part.

Ex. : *Je ne peux pas aller dans cette discothèque, je suis bâré.*

Ex. : *Soyons raisonnables les gars, sinon on va être bârés ici.*

Barre ou palette de chocolat

Tablette de chocolat.

Bas

Chaussettes.

Bas-culottes
Bas collants.

Batch (une)
(Mot anglais *batch* : quantité, bande)
Un ensemble de choses ou de personnes ayant des traits en commun.
Ex. : *Je suis loin d'avoir fini, j'en ai encore une batch à faire.*

Bâtons de golf
Clubs de golf.
Au Québec, le mot clubs désigne les parcours de golf.

Bavette
Bavoir pour bébé.

Baveux
Pour parler d'un individu arrogant, méprisant, qui cherche la bagarre.

Bazou
Vieille voiture, tacot.
Ex. : *T'as quoi comme bazou ?*
– T'appelles ça un bazou toi, il a à peine quatre cent mille kilomètres...

Beans (binnes)
Plat québécois composé de haricots et de lard. Souvent on y ajoute de la mélasse. On peut dire que les

« binnes » font partie du petit déjeuner traditionnel québécois.

Beat

(Mot anglais *beat* : rythme)
1. En musique, le rythme.
2. Reprendre le beat (le rythme) après des vacances.
Ex. : *Ça fait deux semaines que je suis revenu de vacances et je n'arrive pas à reprendre le beat.*
3. Policier en devoir faisant une surveillance à pied.

Bébelles

1. Jouets.
Ex. : *Mon petit Paul, si tu es sage, le Père Noël va t'apporter des bébelles.*
2. Choses superflues.
Ex. : *Robert est riche et s'achète un tas de bébelles dont il ne se sert jamais. Bateau, tricycle, robot, etc.*

Bébitte à patates

Coccinelle.

Bébittes

Insectes, bestioles.

Bec

Un baiser, dans le langage populaire.
Ex. : *Tu as été tellement gentil que tu mérites un gros bec.*

Lorsque l'on écrit une lettre à quelqu'un et qu'à la suite de la signature on met trois X, cela signifie que l'on donne trois becs (baisers).

Ex. : *J'ai hâte de te revoir, Lucie XXX.*

Bécosse

1. Dans le langage familier, WC, toilettes.

À une certaine époque, on retrouvait beaucoup de ce type de toilettes extérieures faites en bois et ne disposant d'aucun service sanitaire.

2. Le mot bécosse est également employé pour désigner un endroit ou une habitation qui ne plaît pas beaucoup.

Ex. : *Je ne sais pas comment Paul fait pour habiter là, c'est une vraie bécosse.*

Bête puante (une)

Mouffette. Petit animal que l'on retrouve surtout en Amérique. Il peut projeter derrière lui un liquide à l'odeur très forte pour éloigner les prédateurs.

Beurre de pinottes

(Mot anglais *peanuts*)
Beurre d'arachides.

Beus (les)

Dans le langage populaire, les policiers.

Bicycle

Bicyclette, vélo.
Ex. : *T'as vu mon nouveau bicycle à motricité JP ?*

– Ça veut dire quoi JP ?
– Je pédale...

Bière d'épinette
Boisson à base d'essence d'épinette, d'eau, de sucre et de levure.

Bière tablette
Boire une bière à la température de la pièce.
Ex. : *Garçon ! Une bière tablette !*
On voudra dire : apportez-moi une bière qui n'a pas été placée au frais au frigo. Il ne faut surtout pas se méprendre, une bière tablette n'est pas une marque de bière.
Ex. : *Garçon, une Bleue et une O'Keefe tablette !*
Ici Bleue et O'Keefe sont deux marques de bière, mais que l'on veut « tablette », c'est-à-dire tièdes, à la température de la pièce.

Big shot
Quelqu'un de très important, une grosse légume.

Bite (une)
1. Temps qu'un prisonnier doit faire en prison.
2. Mot vulgaire pour désigner l'organe sexuel masculin.
Un ami condamné à trois jours de prison pour une contravention non payée, a failli s'évanouir lorsqu'un détenu lui a demandé s'il avait une grosse bite !

Bividi
Sous-vêtement masculin, slip.

Bizoune

Pénis, dans le langage populaire.

Bizouneux

Quelqu'un qui saute d'une chose à l'autre, qui ne fait rien de stable.

Ex. : *Paul est dans la cour arrière, il ne fait rien de spécial, il bizoune...*

Ex. : *André est toujours occupé à bricoler quelque chose, c'est un bizouneux.*

Ex. : *Jérome n'a pas de métier particulier, il fait de tout, c'est un vrai bizouneux.*

Blé d'Inde en épis

Maïs sucré en épis.

Une fois « épluchés », les épis sont plongés dans l'eau bouillante quelques minutes à peine. Ils sont ensuite prêts à être dégustés avec du sel et beaucoup de beurre.

Bobépines

Pinces à cheveux.

Bobettes

Sous-vêtement, slip.

Ex. : *Ça sonne à la porte, tu veux aller ouvrir ? Moi je suis encore en bobettes* !

Boc de bière

Un demi de bière pression.

Boire du fort

Prendre de la boisson alcoolisée.

Boîte à lunch

Genre de petite boîte ou de petit sac où l'on place son repas de midi pour aller au travail ou à l'école.

Bombe

Pour parler d'une bouilloire.

Le mot bombe pourrait provenir du fait qu'on plaçait la bouilloire sur le feu et qu'on craignait qu'elle explose si on ne la retirait pas à temps.

Bon Jack (un)

Quelqu'un de bien, un bon diable.

Bon travaillant (un)

Quelqu'un de fiable et efficace au travail, qui a le cœur à l'ouvrage.

Boss de bécosse

Quelqu'un de peu d'envergure qui veut se donner de l'importance en transmettant ses ordres.

Bosser

(Adaptation du mot anglais *boss* : patron)

Jouer au patron.

Ex. : *Arrête de bosser tout le monde comme ça, tu ne te fais pas beaucoup aimer.*

Botch de cigarette (un)

Un mégot de cigarette.

Botcher

(Adaptation du mot anglais *botch* : rafistoler)
Faire une tâche à la hâte pour s'en débarrasser.

Bottines

Mot employé dans le langage populaire pour désigner tous genres de chaussures.

Bouette

Déformation du mot boue.

Ex. : *Je suis tombé en pleine face au beau milieu du champ, j'avais de la bouette jusqu'aux oreilles.*

Bougrine (une)

Vêtement pour l'extérieur.

Ex. : *Mets ta bougrine avant de sortir, on gèle dehors.*

Boules (les)

Expression vulgaire pour parler de la poitrine d'une femme.

Brailler

Pleurer pour rien. Chiâler.

Ex. : *Je ne sais pas ce qu'il a votre bébé, il a braillé toute la journée.*

Ex. : *Lui, ça ne sert à rien de lui offrir ce poste, c'est un braillard (il n'est jamais satisfait).*

Brakes

(Mot anglais)
Les freins.

Brake à bras

Frein à main.

Braoule

Grosse cuillière utilisée pour servir surtout les soupes et les ragoûts.

Brassière

Soutien-gorge.
Ex. : *Aujourd'hui je porte une brassière en dentelle rose assortie à ma petite culotte.*

Breuvage

Souvent utilisé quand on veut parler de boissons gazeuses, de sodas.

Bum

(Adaptation du mot anglais *bum* : qui vit au crochet des autres)
Individu de peu d'éducation, marginal, délinquant.
Ex. : *Je ne sais pas ce que je vais faire avec mon fils, il s'est fait mettre à la porte de son école. Le principal dit que c'est un vrai bum.*

Bumpé (Prononcé à l'anglaise, bomme-pé)

Être rétrogradé au travail.

Ex. : *Je préfère être bumpé au bureau, plutôt que de perdre mon emploi.*

Bumper (bomme-peur)
1. Pare-chocs d'un véhicule.
2. Expression plutôt vulgaire pour parler de la poitrine volumineuse d'une femme.

Butin
Vêtements en général.

Ex. : *Il me semble tu es assez grande pour faire attention à ton butin.*

C

Cabanon
Petit hangar servant au rangement des outils de jardinage.

Cabaret
1. Plateau.
2. Désigne également une boîte de nuit.

Cadran
Réveil-matin.

Ex. : *As-tu mis ton cadran à la bonne heure pour demain matin ?*

Caler
1. Pour parler de quelque chose ou de quelqu'un qui tombe à l'eau et qui disparaît de la surface.

Ex. : *On a vu la voiture quitter la route et foncer tout droit vers la rivière. La glace était trop mince, l'auto a calé dans le temps de le dire.*

2. Rabaisser une personne aux yeux des autres pour lui causer du tort.

Ex. : *Je n'aurai jamais cette promotion, mon patron immédiat fait tout pour me caler auprès de la direction.*

Câler

(Adaptation du mot anglais *call* : appel)

Appeler quelqu'un de vive voix ou lui parler au téléphone.

Ex. : *Si tu veux qu'on se voie t'as juste à me câler au téléphone chez ma mère.*

Ex. : *Je vais aller au sous-sol, quand le dîner sera prêt, t'auras juste à me câler en haut de l'escalier.*

Camail

Un chapeau, dans le langage populaire.

Canard

Une bouilloire.

Ex. : *Fais donc chauffer le canard, je vais faire du thé.*

Canisse

Sorte de bidon en fer-blanc dans lequel on mettait le lait autrefois. Également utilisé pour désigner une cannette de bière ou de soda.

Capine

Genre de chapeau.

Capot

Long manteau pour l'hiver.

Capot d'chat

Long manteau en fourrure de chat sauvage.

Capoter

Au sens figuré, perdre les pédales.

Ex. : *Quand j'ai appris sa mort, j'ai capoté.*

Caps de roues

Enjoliveurs de roues.

Ex. : *Il a tourné le coin de la rue sur les caps de roues ! (à grande vitesse).*

Caribou

Boisson alcoolisée faite à base d'alcool pur et de vin St-Georges (vin très sucré).

Boisson particulièrement appréciée à l'époque du Carnaval de Québec, qui se tient en février. Les habitués remplissent une canne creuse de cette boisson et en boivent quand ils ont froid.

Carotté

Pour parler d'un tissu à carreaux.

Ex. : *Dans ce petit restaurant, il y a de belles nappes carottées jaune et blanc sur les tables.*

Cartes d'affaires

Cartes de visite.

Carton ou cartoon de cigarettes

Cartouche de cigarettes.

Casque à palette (Casse à palette)

Casquette.

Ex. : *Lorsque mon père allait travailler au champ, il mettait toujours son casse à palette.*

Catin
Poupée.
Ex. : *Cette enfant-là est toujours sage si elle a une catin pour s'amuser.*

Cellulaire
Téléphone portable.
Ex. : *Si tu as un problème, tu m'appelles aussitôt sur mon cellulaire.*

Centre d'achats
Centre commercial.

Champlures
Robinets.
Ex. : *Ferme les champlures de la baignoire, l'eau déborde de partout.*

Il semble que le mot champlure dérive de chante-pleure, ainsi nommée à cause du bruit produit par la pression de l'eau dans la tuyauterie.

Char
(Du mot anglais *car*)
Voiture, automobile.

Châssis
Fenêtre.
Ex. : *Vite, ferme les châssis, il commence à pleuvoir.*

Chaussettes
Pantoufles.

Chèque en rubber (rubbeur)
Un chèque en bois.
Par analogie avec le mot anglais *rubber* : caoutchouc. Matière dure, élastique et qui peut rebondir (donc vous revenir…).

Chigner
Employé quand on veut parler d'un enfant trop gâté qui pleurniche pour des riens.

Chnolles (les)
Les testicules, les couilles.

Chotte (une)
Un peu, un petit coup.
(Une chotte de cognac.)

Citrouille
Potiron.
(Le mot potiron n'est que très rarement utilisé pour parler de la citrouille au Québec.)
La citrouille est particulièrement populaire à l'époque de l'Halloween, fin octobre. L'Halloween est une fête réservée aux enfants. Chaque année, ils se promènent costumés et le soir venu, ils vont frapper aux portes des maisons du voisinage afin de recueillir bonbons et friandises. La tradition veut aussi que chaque maison arbore à la fenêtre une citrouille déco-

rée. C'est une fête très populaire au Québec ainsi que partout aux États-Unis.

Clancher

1. Accélérer violemment en voiture.

Ex. : *J'ai clanché ça en cinquième, il m'a perdu de vue.*

2. Commencer quelque chose.

Ex. : *Il faut que je clanche, sinon je ne finirai jamais.*

3. Clancher quelqu'un : lui faire passer un mauvais moment.

Ex. : *S'il continue à m'exaspérer, je vais le clancher.*

Claques

1. Couvre-chaussures à minces rebords en caoutchouc.

Se portent au printemps et en automne particulièrement.

2. Le mot claque est également utilisé pour souligner la piètre performance d'un athlète.

Parfois au hockey sur glace, lors de certains matchs de championnat, des spectateurs mécontents de la performance de leur équipe lancent leurs claques sur la glace en guise de protestation.

Ex. : *Ce joueur-là ne sera jamais un champion, il est toujours bon dernier, en fait il ne vaut pas une claque.*

3. S'emploie aussi pour parler d'un objet ou d'un appareil quelconque qui ne donne pas les résultats attendus.

Ex. : *Ce tournevis à multiples fonctions ne vaut pas une claque.*

Ex. : *J'ai payé cet appareil de télé trop cher et en plus il ne fonctionne pas bien. Ça ne vaut pas une claque.*

Cocottes
Petits cônes que l'on retrouve sur les branches des épicéas, communément appelés épinettes au Canada.

Cocrelle
(Du mot anglais *cockroach*)
Blatte, cafard.

Cœur de pomme
Trognon de pomme.

Coin de rue
Pâté de maisons.

Cornet de crème en glace
Glace servie dans un cône.

Combines
Sous-vêtement pour homme, d'une seule pièce et couvrant le corps au complet.

Ex. : *Je me souviens que mon père portait toujours des combines l'hiver. Il disait que ça lui gardait les fesses au chaud.*

Cossins
Petites choses superflues, babioles.

Ex. : *N'oublie surtout pas de ramasser tous tes cossins avant de partir de chez grand-maman.*

Couverte
Couverture.
Ex. : *Il faisait froid hier soir, j'ai mis deux couvertes de plus pour dormir.*

Cow-boy
Quelqu'un qui conduit son véhicule de façon dangereuse.
Ex. : *Regarde-le aller, il conduit en cow-boy, il va finir par écraser quelqu'un.*

Craque des fesses
L'espace entre les deux parties charnues des fesses.
Ex. : *Regarde le gars là-bas, ses pantalons sont trop petits. À chaque fois qu'il se penche on lui voit la craque des fesses.*

Crèche
Au Québec, lorsqu'on emmène un enfant à la crèche, on le laisse à l'orphelinat... La « crèche » française y est appelée « garderie ».

Crémage à gâteaux
Crème qui recouvre les gâteaux.

Crémone (une)
Genre de long foulard tricotté.

Cretons

Genre de pâté fait avec du veau ou du porc haché

Crosseur

Fraudeur, individu qui n'inspire pas confiance.

D

Décrisse

Ordre que l'on donne à quelqu'un pour lui signifier de partir et vite.

Ex. : *Je te donne un conseil d'ami : décrisse...*

Dégrayer

1. Desservir la table.

Ex. : *Voudrais-tu dégrayer la table pendant que je fais le café ?*

2. Se dégrayer : enlever ses vêtements d'extérieur.

Ex. : *Tu ferais mieux de te dégrayer un peu, il fait chaud ici.*

Déjeuner

Petit déjeuner.

Si un Québécois vous invite à déjeuner, ce sera tôt le matin. N'arrivez surtout pas à treize heures... Le mot déjeuner est utilisé dans le sens de briser le jeûne depuis le dernier repas de la veille.

Le déjeuner québécois est plutôt copieux. On vous servira un ou deux œufs, selon votre appétit avec des rôties, du bacon, des saucisses, du jambon, des cretons et des « binnes ». Dans la plupart des restaurants on vous offrira le café à volonté. Le tout pour environ cinq dollars, soit vingt francs.

Dépanneur
Petite épicerie où l'on trouve à peu près de tout et qui est ouverte au-delà des heures normales.

Dépense
Genre de petite pièce servant à entreposer de la nourriture.
Ex. : *Regarde dans la dépense, je crois qu'il y a encore des pommes de terre.*

Devanture
Lorsqu'on veut parler du devant d'une maison, de l'entrée principale.

Dîner
Déjeuner.
Le repas du midi est le dîner.

Directoré (le)
(Dérivé du mot anglais *directory*)
Annuaire téléphonique.

Dispendieux
Cher.
Ex. : *Je ne peux pas acheter cette voiture, c'est trop dispendieux pour mes moyens.*

Domper
(Du mot anglais *dump* : décharger)

Utilisé quand on veut dire que l'on se débarrasse de quelque chose ou de quelqu'un.

Ex. : *Ça ne va plus du tout à mon travail. Je crois que je vais tout domper ça là.*

Ex. : *Je me querelle constamment avec mon nouveau petit ami, je suis sur le point de le domper.*

Driver

(Adaptation du mot anglais *driver* : chauffeur, celui qui conduit, qui dirige)

Prendre une situation en main et tout mettre en place pour régler les problèmes.

Ex. : *Juste à voir driver le nouveau patron, on peut être confiant pour l'avenir.*

Driving range

Practice de golf.

E

Échapper

Laisser tomber quelque chose.

Ex. : *J'ai échappé la bouteille de vin par terre et évidemment elle s'est brisée.*

Écouter

Obéir à quelqu'un.

Ex. : *Si tu veux arriver à de bons résultats, il faudra m'écouter.*

Écrapouti

Écrasé, aplati.

Ex. : *Quelqu'un s'est assis sur mon chapeau, regarde, il est tout écrapouti.*

Efface

Gomme à effacer.

Ex. : *Passe-moi l'efface, j'ai fait une erreur en écrivant mon texte.*

Éfoiré

1. Être bien calé dans un fauteuil.

Ex. : *Il passe ses journées éfoiré devant la télé.*

2. Quelque chose qui est écrabouillé, réduit en bouillie.

Ex. : *Hier au super marché j'ai éfoiré un raisin avec mon pied. J'ai failli tomber.*

Égarouillé
Pour parler d'un individu troublé, qui a un peu perdu la tête.

Épingles à linge
Pinces à linge.

Épluchette de blé d'Inde
Fête où les gens se régalent de maïs en épis. De la mi-juillet à la mi-août, la récolte du maïs est très abondante. C'est pourquoi tout le monde en profite pour en déguster le plus souvent possible.

Éreinté
Pour dire que l'on a de vives douleurs au bas du dos, empêchant de bouger normalement.

Éteignoir
Une personne qui est rabat-joie.

Évaché
Qualificatif que l'on donne à une personne qui est installée paresseusement sur un fauteuil.

F

Faire l'ordinaire

Faire la cuisine de tous les jours.

Ex. : *Ma grand-mère faisait l'ordinaire pour son mari et ses seize enfants, trois fois par jour.*

Farmer

(Mot anglais)

1. Un fermier
2. Un individu qui n'a pas de très belles manières.

Fendant

Quand on veut parler de quelqu'un de très arrogant, de très prétentieux.

Fête

L'anniversaire de naissance.

Ex. : *Demain c'est ma fête, je vais avoir dix-neuf ans.*

Ex. : *J'arrive un peu tard parce qu'au bureau on a eu un petit party, c'était la fête de Paul.*

Feu sauvage

Bouton de fièvre, généralement près de la bouche.

Ex. : *J'ai un peu de difficulté à sourire avec ce feu sauvage sur le bord de la lèvre.*

Fifi
Homosexuel.

Fin de semaine
Week-end.

Flagosser
Faire des choses sans importance, perdre son temps.

Flanc-mou
Individu paresseux qui traîne les pieds.

Fleur
Mot employé par certaines personnes pour parler de la farine.
Ex. : *Rajoute donc un peu de fleur dans le gâteau.*

Flos (les)
Quand on veut parler des enfants.
Ex. : *Vous pouvez surveiller mes flos ? Je reviens dans dix minutes.*

Flyzo (un)
Pour parler de quelqu'un qui a des agissements hors de la normale.
Ex. : *Le fils du voisin est un méchant flyzo. Il se comporte très bizarrement.*

Forçure
Mot utilisé par les personnes d'un certain âge pour désigner le foie.

Ex. : *Ce soir, je vais manger de la forçure de veau.*

Fortiller

Bouger sans arrêt, avoir des fourmis dans les jambes.

Ex. : *Il fortillait sur sa chaise pendant l'allocution de son adversaire. Il avait hâte de pouvoir se lever.*

Foufounes

Fesses de bébés.

Fourrer

1. Flouer, être malhonnête.

Ex. : *On s'est fait fourrer en achetant cette voiture.*

2. Dans le langage vulgaire, forniquer.

Frizette

Pour désigner une personne qui a les cheveux bouclés.

Ex. : *Hey Frizette ! Viens ici, il faut que je te parle.*

Fuses (fiouses)

(Mot anglais *fuse*)

Fusibles.

Ex. : *Albert, veux-tu aller voir si la fiouse a sauté, il n'y a plus de lumière dans la salle de bain.*

G

Galerie
Balcon.

Ex. : *Ce vieux couple passe l'été assis sur la galerie à se bercer.*

Galettes de sarrasin
Genre de crêpes faites à base de farine de sarrasin.

Galvauder
1. Avoir plusieurs aventures amoureuses.
2. Se déplacer d'un endroit à un autre.

Garde-malade
Infirmière.

Garrocher
Lancer quelque chose avec force.

Ex. : *Maman, le petit voisin m'a garroché des roches.*

Glandouneux
Être paresseux et fainéant.

Gogounes

Sandales de plage ou vieilles pantoufles.

Ex. : *T'arrives chez lui à n'importe quelle heure, il est toujours en gogounes.*

Gomme balloune

Grosse boule de chewing-gum enrobée de sucre de différentes couleurs et servant à faire des bulles. Les enfants en raffolent.

Ex. : *Achète donc des gommes ballounes aux enfants, ça va les empêcher de se chamailler.*

Gosses (les)

Mot dans le langage populaire pour parler des testicules.

Ne pas confondre avec les enfants...

Gosseux

Qui s'acharne sur des choses sans grande importance.

Ex. : *Ça fait des années qu'il prétend travailler à l'invention d'un truc révolutionnaire. Selon moi, c'est plutôt un gosseux qu'un inventeur.*

Graine

Mot vulgaire pour parler du pénis.

Graisseuses (des)

Des frites.

Ex. : *C'est ma tante Germaine qui faisait les meilleures graisseuses dans la famille.*

Graquias ou craquias

Chardons.

Ex. : *Quand le chat est revenu du champ, il avait la queue pleine de graquias. Il avait des petits pics partout.*

Grosse poche

Grosse légume, quelqu'un qui a beaucoup d'argent.

Grosse Mol (une)

Mol étant le diminutif de Molson, une marque de bière canadienne. Donc une grosse Mol est une grosse bouteille de bière Molson.

Ex. : *Hey Max ! Donne-moi donc une grosse molle, s'il te plaît.*

Grosse molle (une)

Un grand cône de crème glacée (glace) molle.

Guédilles

Hot dogs où la saucisse est remplacée par des frites.

Guidoune

1. Femme de petite vertu.

2. Quelqu'un qui fait du charme pour arriver à ses fins.

Ex. : *Paul, tu es une vraie guidoune... Comment as-tu fait pour obtenir ce contrat ?*

H, I

Habitant (un)
1. Homme vivant sur une ferme.
2. Individu ayant peu de manières.

Hamburger all dress
Hamburger garni de plusieurs condiments, d'oignons et de chou.

Herbe à puces
Plante causant une violente irritation de la peau si on s'y frotte. Attraper l'herbe à puces.

Ex. : *Regarde, j'ai plein de petits boutons rouges sur les jambes. Je crois que j'ai attrapé l'herbe à puces.*

Hose (une)
(Mot anglais)
Boyau d'arrosage.
Ex. : *Sors la hose, il faut arroser le jardin.*

Hot dog steamé
Saucisse spéciale servie dans un petit pain de forme allongée, le tout réchauffé à la vapeur.

Icitte

Déformation du mot ici.

Ex. : *Viens icitte au plus vite.*

Ex. : *Lui, c'est pas un gars d'icitte.*

Ex. : *Ça, c'est fabriqué icitte.*

J

Jaquette

Vêtement que l'on porte pour aller dormir.

Jardin

Potager.

Jaser

Parler entre amis, avoir une discussion intéressante.

Ex. : *Claire et moi on a jasé tout l'après-midi, on avait tellement de choses à se raconter.*

Jaspiner

Se plaindre tout le temps, se lamenter pour tout et pour rien.

Joues

Terme « comique » pour parler des fesses.

Ex. : *Regarde la dame là-bas, elle a de bien grosses joues...*

L

Lavage

La lessive.

Ex. : *Quand on est revenu de vacances avec les enfants, il y avait tellement de lavage à faire, j'en ai eu pour deux jours.*

Laveuse

Lave-linge.

Liqueur

Boisson gazeuse, soda.

Ex. : *Paul, veux-tu une liqueur avec ton hot dog ?*

Au Québec, la vente du vin et des spiritueux (boissons alcoolisées) est régie par une société d'État appelée la Régie des Alcools du Québec. Auparavant, cette même régie s'appelait la Commission des Liqueurs. Le mot liqueur désignait alors les boissons fortes alcoolisées. Pour les gens de la rue, toutes les boissons ne contenant pas d'alcool, devinrent donc des liqueurs douces. Peut-être aussi à cause de l'influence américaine qui utilise l'expression « soft drink » pour une boisson non alcoolisée.

Livre du téléphone

Annuaire téléphonique.

Ex. : *J'ai cherché le numéro de l'école dans le livre du téléphone, mais je ne l'ai pas trouvé.*

Logis

Logement, appartement.

Ex. : *Je me suis trouvé un beau petit logis au troisième étage de cet immeuble.*

Mâche-patates (le)
La bouche.

Mâcher de la gomme
Mâcher du chewing-gum.

Magané
Quand on veut parler de quelqu'un qui est mal en point.
Ex. : *Thérèse a fait une chute dans les escaliers. Tu aurais dû la voir le lendemain, elle était maganée comme si le train l'avait frappée.*

Maganer
1. Abîmer quelque chose.
Ex. : *Fais attention de ne pas maganer mon beau livre en le lisant. J'y tiens beaucoup.*
2. Maltraiter une personne ou un animal.
Ex. : *Il n'est pas permis de maganer son chien, ni les autres animaux d'ailleurs.*

Makina (un)
Petit coupe-vent arrivant à la hauteur de la taille et ayant une fermeture Éclair devant.

Mangeux de balustres
Quelqu'un qui est toujours à l'église.

Manufacture
Usine.

Marde
Déformation du mot merde.

Maringoin
1. Petit insecte désagréable qui pique.
2. Pour parler d'un individu de très petite taille, qui ne fait peur à personne.

Mashmallow
Guimauve.
Le mot anglais *mashmallow* est prononcé « mâche-mallo ».

Méchant
Qualificatif employé très souvent dans le langage populaire pour donner plus d'effet.
Ex. : *C'est un méchant malade.*
(C'est quelqu'un de très spécial qui agit de façon plutôt bizarre.)

Médium
1. Cuisson de la viande à point.
Ex. : *Je veux mon steak médium et celui de ma femme médium-saignant.*
2. Taille moyenne dans les vêtements.

Ménés (les)

1. Minuscules poissons que l'on retrouve dans les lacs et les rivières.

2. Quelqu'un ayant peu de poids dans le monde des affaires ou de la politique.

Menterie (Mentrie)

Mot très utilisé pour parler de mensonge.

Ex. : *Vas-tu conter des mentries toute ta vie ?*

Minoucher

Caresser tout doucement.

Minoune

1. Pour désigner la femelle du chat dans le langage populaire.

2. P'tite minoune (Petite minoune) : Mot tendre.

3. Vieille voiture, tacot.

Ex. : *C'est peut-être une minoune, mais elle m'amène où je veux.*

Ex. : *Les premières années de notre mariage, on se promenait en minoune et on était heureux.*

Miroirs

Les rétroviseurs d'une voiture.

Ex. : *Il est passé tellement près avec sa moto, qu'il a arraché mon miroir à droite.*

Moine (le)

Dans le langage familier, le pénis.

Momoune

Peureux et effiminé.

Ex. : *Un mètre quatre-vingt-cinq, cent kilos. Malgré son gabarit, ce gars-là est une vraie momoune...*

Ex. : *Dans ce couple, c'est toujours elle qui décide de tout. Lui, jamais un mot, une vraie momoune...*

Momoutte

Toupet que portent les hommes ayant le crâne dégarni.

Ex. : *Il vente tellement fort, à sa place j'aurais peur que la momoutte s'envole.*

Montrer

Apprendre quelque chose à quelqu'un.

Ex. : *Regarde bien, je vais te montrer comment ça marche.*

Ex. : *Je vais te montrer à conduire.*

Moppe

Vadrouille.

Ex. : *Donnez donc un p'tit coup de moppe en passant. Le plancher de l'entrée est un peu sale.*

Mouches à feu

Lucioles.

Mouche à marde

Dans le langage populaire quand on veut parler d'un individu qui est très collant et de qui on ne peut plus de débarrasser.

Mouche de moutarde

Genre de cataplasme enduit de moutarde forte que l'on appliquait dans le dos pour soulager une grippe ou une angine.

Mouver

(Mot anglais, *move*)

1. Déménager.

Ex. : *L'an prochain on a l'intention de mouver à la campagne.*

2. Changer des meubles de place.

Ex. : *Donne-moi un coup de main, je veux mouver le piano.*

3. Se mouver : se bouger, agir.

Ex. : *Mouve-toi un peu sinon tu vas arriver en retard.*

Muffleur ou silencieux

(Mot anglais *muffler*)

Pot d'échappement.

Ex. : *J'ai fait installer un muffleur neuf sur ma voiture.*

N

Nananes

Bonbons, friandises.

Ex. : *À l'Halloween, j'espère que je vais ramasser beaucoup de nananes dans mon petit sac.*

Nettoyeur (le)

Le pressing.

Nuage (un)

Longue écharpe en laine que portent les enfants pour aller jouer dans la neige l'hiver.

Ex. : *Hélène, mets ton nuage avant d'aller jouer dans la neige. Comme ça tu auras le cou bien au chaud.*

Opérer
Agir vite et de façon très efficace.
Ex. : *Confie ce travail à Paul, lui, il opère.*

Oreilles de crisse
Plat typiquement québécois servi dans les cabanes à sucre. Il s'agit de petites grillades de lard bien cuites et croustillantes.

Overall
(Mot anglais, *over* – par-dessus – *all* – tout)
Grande combinaison de travail que l'on porte par-dessus ses vêtements pour ne pas se salir.
Ex. : *Les employés municipaux portent tous des overalls bleus.*

P

Paire de jos (une)
Expression très vulgaire pour parler de la poitrine d'une femme.

Palettes (les)
Quand on parle des dents, en particulier des incisives.

Ex. : *Cette petite fille-là a de méchantes palettes. On dirait un lapin.*

Palotte
Qualificatif que l'on donne à une personne lourde, qui manque d'agilité et surtout de souplesse.

Ex. : *Ma tante Lucille est très palotte. Elle a même de la difficulté à monter et descendre de la voiture.*

Pantoute
Pas du tout.

Ex. : *J'en veux pas, pantoute ! (Ça ne sert à rien d'insister.)*

Ex. : *Pantoute, pantoute, pantoute, de toute ma vie je n'accepterai.*

(Ici, l'expression « pantoute » est employée au sens de jamais.)

On raconte qu'une personnalité sportive, reconnue pour ses difficultés à bien s'exprimer dans la langue de Molière, surprit tous les auditeurs lors d'une entrevue (interview) à la radio. À une question à laquelle il ne pouvait répondre que par : pas du tout, il se souvint que de dire « pantoute » n'était pas le bon mot à utiliser en public. Instinctivement, il répondit : « Je ne sais pas, Pantou Pantou… !!! »

Paparmane
(Francisation du mot anglais : *peppermint*)
Sorte de bonbon, de pastille à la menthe.

Paquet (le)
Dans le langage populaire, quand on veut parler des organes génitaux masculins.

Parade
Défilé.
Ex. : *Vous avez le choix de regarder passer la parade, d'être dans la parade ou d'organiser la parade.*

Parade de mode
Défilé de mode.

Par-dessus
1. Couvre-chaussures pour l'hiver (se portent vraiment par-dessus les chaussures.)
Ex. : *À chaque hiver, j'achète une nouvelle paire de par-dessus.*
2. Long manteau d'hiver pour homme.

Ex. : *Pour ma fête, ma femme m'a acheté un beau par-dessus gris.*

Passage
Couloir.

Patates pilées
Pommes de terre en purée.

Ex. : *Vous le voulez comment votre steak, avec des frites ou des patates pilées ?*

Pâté chinois
Plat québécois constitué de bœuf haché, de maïs sucré en crème et de pommes de terre en purée. Le tout en trois étages. Un peu comparable au hachis Parmentier.

Patenteux
Quelqu'un qui bricole à qui mieux mieux.

Patiner
Au sens figuré, se démener beaucoup pour arriver à quelque chose.

Pattes d'ours
1. Petits biscuits (gâteaux) au goût de mélasse et faits en forme de pattes d'ours.
2. Quand on veut parler d'une femme qui a de très grosses chevilles. On dit alors qu'elle a des pattes d'ours...

Pédaler

Se dépenser beaucoup pour faire quelque chose ou pour arriver à une situation voulue.

Peinturer

Peindre quelque chose, un mur, une table, une clôture.

Ex. : *Que diriez-vous, les gars, de venir m'aider à peinturer à la maison ? Je paie la bière... J'attends la réponse, les gars...*

Pelote (Plotte)

1. Mot très vulgaire pour désigner une femme aux mœurs légères.

2. Employé grossièrement et vulgairement pour parler des parties génitales de la femme.

Pépinière

Jardinerie.

Ex. : *Samedi, il faut que j'aille à la pépinière, j'ai besoin de produits insecticides pour les rosiers.*

Perruque

Dans le langage populaire, pour parler de la chevelure abondante d'un individu.

Pète (pet) de sœur

Petite pâtisserie très sucrée faite avec de la cassonade.

Piasse

Déformation du mot piastre.

Pichnotte
Pichenette.

Pincette
Action de pincer quelqu'un.

Pine (la)
Au golf, la tige soutenant le drapeau à chacun des trous.

Si un adversaire ou un partenaire de jeu vous demande de lui tenir la pine, il veut simplement que vous teniez le drapeau afin de lui faciliter son coup roulé (putt)…

Piner
Agacer, harceler quelqu'un.

Ex. : *Il a passé la soirée à me piner. Il est tellement jaloux de moi.*

Pipe
Histoire, mensonge, fausseté.

Ex. : *Ne me conte pas de pipes, je connais déjà la vérité.*

Pis
Et puis, et.

Ex. : *Pis, qu'est-ce qu'on fait maintenant ?*
Ex. : *Arrête de me dire, pis, pis, pis, je n'en sais rien.*
Ex. : *Je suis allée au cinéma avec Luc pis Louise.*

Pisse-minute
Quand on parle de quelqu'un qui urine fréquemment.

Ex. : *Aline, t'es une vraie pisse-minute. Ça fait déjà trois fois qu'on s'arrête depuis qu'on est partis.*

Pissette
Dans un langage très familier et commun, pour désiger le pénis.

Pisseuses (les)
Terme peu flatteur pour parler des religieuses.

Pisseux
Quelqu'un qui a peur de tout, qui se défile devant une situation.

Ex. : *Luc est beaucoup trop pisseux pour aller voir le patron tout seul.*

Pissou
Quelqu'un qui manque d'assurance, qui a peur de son ombre.

Ex. : *Je l'avoue, je suis trop pissou pour sortir dans ce quartier le soir.*

Pitonner
1. Zapper quand on parle de télé.

Ex. : *Il n'y avait rien d'intéressant à la télé, j'ai pitonné toute la soirée.*

2. Jouer avec les touches du clavier d'un ordinateur.

Ex. : *Pour passer le temps, j'ai pitonné un peu sur mon ordinateur.*

Pitons
Boutons de commande pour la télé, par exemple.

Pitoune

1. Fille plutôt plantureuse.

Ex. : *Eh monsieur ! Ça, c'est de la pitoune !* (*Expression utilisée pour parler d'une jolie fille.*)

Ex. : *Aie les gars, ce soir on va aux pitounes.* (*Ce soir nous irons dans un endroit fréquenté par de nombreuses filles.*)

Ex. : *T'aurais dû voir la pitoune qui était avec Paul...*

2. Mot tendre qu'on peut adresser à une petite fille.

Ex. : *Viens ici ma pitoune.*

3. Bois de coupe.

Ex. : *Toute sa vie mon grand-père a travaillé sur la pitoune.*

Des sociétés privées, spécialisées dans la coupe du bois, se servaient du courant des rivières pour le transport du bois coupé, entre la forêt et l'usine souvent éloignée de plusieurs centaines de kilomètres. Des hommes habiles marchaient et couraient sur les énormes billots qui flottaient. Le travail consistait à éviter les barrages provoqués par l'enchevêtrement des billots qui flottaient. On appelait ça, travailler sur la pitoune.

Platée

Grosse portion de nourriture dans une assiette.

Ploguer

(Dérivé du mot anglais, *plug*)

1. Brancher un appareil électrique.

Ex. : *Veux-tu ploguer la bouilloire ?*

2. Mettre des gens en contact.

Ex. : *Compte sur moi, je vais te ploguer auprès de la direction.*

3. Remettre quelqu'un à sa place.

Ex. : *Je l'ai plogué d'aplomb, il n'a pas dit un seul mot de la soirée.*

Poche
Mot très familier pour désigner les organes génitaux de l'homme.

Poêle
Cuisinière.

Ex. : *Allume le rond du poêle, je vais faire chauffer la soupe.*

Pogne en cul (un)
Quelqu'un qui ne fait rien, qui perd son temps.

Pogner
1. Prendre quelque chose.

Ex. : *Je vais te lancer le tournevis, arrange-toi pour le pogner.*

2. Attraper quelqu'un.

Ex. : *Allez sauve-toi, attends pas que je te pogne.*

3. Surprendre.

Ex. : *On s'est tous fait pogner les culottes à terre, le patron est arrivé et personne ne travaillait.*

Porc frais
Rôti de porc.

Ex. : *C'est ma mère qui faisait le meilleur rôti de porc frais.*

Poutine
Plat typiquement québécois composé de frites arrosées de sauce brune et garnies de fromage en grains.

Beaucoup de restaurants spécialisés dans le « fast-food » offrent la poutine en plusieurs versions. Grande, régulière, petite, italienne, michigan. À vous de voir…

Police montée
En fait il s'agit ici de la Gendarmerie Royale du Canada (GRC), une force policière à l'échelle nationale. Autrefois les policiers étaient vêtus d'un uniforme rouge vif et coiffés d'une toque en fourrure noire et montaient à cheval bien sûr. D'où le nom de police montée. Aujourd'hui tout ce rituel et les chevaux ne sont utilisés que lors d'événements spéciaux ou de démonstrations. Dans la vie de tous les jours, les policiers sont en voiture et portent un uniforme ordinaire.

Pont des chars
Pont où passe le train.

Ex. : *On habite dans la maison juste à côté du pont des chars. C'est très bruyant quand les trains passent.*

Portrait
Photo.

Ex. : *Viens, je vais te montrer les portraits de nos dernières vacances.*

Poser

Prendre des photos, photographier.

Ex. : *Voulez-vous faire poser votre bébé, madame ? C'est gratuit aujourd'hui pour les enfants.*

Ex. : *Marc a posé tout le monde au bureau.*

Potte (le)

Petit ventre bien rond qu'ont les hommes à un certain âge.

Prelart

Qui recouvre un plancher, genre de linoléum.

Ex. : *On a été obligé de changer le prelart de la cuisine, il était brûlé à deux endroits.*

P'tite bite

(Une petite bite, de l'anglais : *a little bit*)

Un tout petit peu, pas beaucoup à la fois.

Ex. : *N'en mettez pas trop dans mon assiette, juste une p'tite bite me suffira.*

P'tit blanc (un)

Un verre d'alcool pur.

Ex. : *C'est Noël mon oncle Albert, un autre p'tit blanc ?*

P'tits corps

(Petits corps)

Genre de petites camisoles en coton sans manche, que portent les hommes sous leurs chemises.

P'tits cors

Cors aux pieds.

Ex. : *Mes p'tits cors me font souffrir quand je porte mes chaussures noires à talons. Elles me serrent trop les pieds.*

P'tit suisse

Tamia, petit animal ressemblant à un écureuil.

Pudding chômeur

Dessert très sucré à base de farine et de cassonade.

Comme c'est une recette très peu coûteuse, cela permettait aux familles nombreuses, surtout dans les périodes de crises économiques, d'avoir un dessert qui plaisait à tout le monde à peu de frais.

Quessé ?

Compression des mots : qu'est-ce que.

Ex. : *Quessé que tu fais debout, à une heure pareille ?*

Ex. : *De quessé que tu penses de faire ça ?*

Ex. : *Quessé que tu fais là ?*

Questa ?

Qu'est-ce que tu as ?

Ex. : *Questa, c'est quoi ton problème ?*

Ex. : *Questa à me regarder comme ça ?*

Quétaine

Ringard.

Ex. : *Ma tante a beaucoup d'argent, elle peut se payer les plus beaux vêtements. Pourtant elle est toujours habillée tellement quétaine...*

Ex. : *Est-ce que tu trouves ce genre de musique un peu quétaine ? Moi oui.*

Queue de castor

Genre de pâtisserie très sucrée faite en forme de queue de castor.

R

Raboudiner

Essayer de rafistoler quelque chose.

Ex. : *Georges a raboudiné la tondeuse l'autre jour.*
Elle fonctionne encore plus mal qu'avant.

Rabouteux ou ramancheux

Genre de charlatan qui se dit capable de replacer les os brisés ou de soigner les entorses et les maux de dos en employant des techniques peu orthodoxes.

Racoin

Recoin.

Ragoût de pattes

Plat typiquement québécois fait de pattes de porc et de boulettes de porc haché, le tout dans une sauce brune riche et onctueuse. Habituellement on sert des pommes de terre cuites à la vapeur avec le ragoût. Ce plat est particulièrement populaire pendant la période des fêtes de Noël et du Nouvel An.

Raquettes

Quand on veut parler d'un individu qui a les pieds très longs.

Rase-trou

Pour parler d'un vêtement féminin très très court, juste à la limite de la décence.

Ex. : *Madeleine croyait faire bonne impression auprès du nouveau directeur avec sa petite robe blanche rase-trou. Cela a eu tout l'effet contraire...*

Records (des)

(Du mot anglais, *record*)
Utilisé autrefois pour parler de disques (musique).

Reculons (les)

Les cuticules.

Réguine (une)

Un truc, un machin, quelque chose qui ne fonctionne pas très bien.

Ex. : *Le lave-vaisselle d'occasion que j'ai acheté est une vraie réguine. Il fonctionne bien une fois sur deux.*

Rénettes

Petites bottes de plastic transparent que portent les fillettes pour couvrir leurs chaussures quand il pleut.

Retontir

Arriver à l'improviste.

Ex. : *On avait à peine commencé à manger que Louise et Bernard sont retontis.*

Roteux (des)

Expression populaire pour parler des hot dogs.

Ex. : *J'ai mangé deux roteux avec des frites pour dîner à midi.*

Rouleuse (une)
Cigarette roulée à la main avec du tabac acheté en vrac.

Ex. : *Mon père a toujours fumé des rouleuses. Il trouvait que ça coûtait moins cher.*

Runner
(De l'anglais, *to run* : conduire, diriger)
Diriger, donner des ordres, jouer au patron.

Running shoes
Espadrilles, chaussures de sports.

S

S'abrier

Se couvrir de couvertures lorsqu'on va au lit.

Sacoche

Sac à main.

Sacrer

Blasphémer, jurer en employant des mots en rapport avec l'église.

Saper

Faire du bruit avec sa bouche en mangeant.

Ex. : *Il m'est insupportable d'entendre quelqu'un saper à table.*

Scalper (Scalpeur)

(De l'anglais *to scalp*)

Revendeur de billets à prix élevé, à la porte des salles de spectacles ou des stades.

Scèneux

Individu voulant toujours tout savoir et être au courant de ce qui ne le regarde pas.

Scorer

1. Dans le langage populaire, lorsque l'on veut parler d'un homme qui a une forte activité sexuelle.

2. Marquer des buts au foot ou au hockey par exemple.

Se brancher

Prendre une décision.

Se branler

Bouger, se dandiner.

Ex. : *On est au restaurant, alors reste tranquille et arrête de te branler, ça m'énerve.*

Sécheuse

Sèche-linge.

Se crosser

Expression vulgaire signifiant se masturber.

Se grafigner

1. S'égratigner.

Ex. : *Regarde son bras, c'est son petit frère qui l'a grafignée.*

2. Provoquer quelqu'un par des paroles désobligeantes.

Ex. : *Il a tout essayé, même de grafigner ma réputation.*

S'éjarer

Tomber de façon spectaculaire, trébucher.

Ex. : *L'autre jour en partant de chez toi, je me suis éjarée sur le trottoir. J'aurais pu me faire très mal.*

S'enfarger

1. Buter sur quelque chose, sur des mots.

Ex. : *Quand il essaie d'improviser, il s'enfarge dans ses mots.*

2. Trébucher sur quelque chose.

Ex. : *Je me suis enfargée dans les jouets d'Antoine et je suis tombée.*

Sens bon (du)

Du parfum.

Ex. : *Mets donc un peu du sens bon que ma mère t'a donné à Noël, ça lui fera plaisir.*

S'épivarder

Aller prendre l'air, faire un tour pour se changer les idées.

Ex. : *Tu devrais aller t'épivarder un peu avant la réunion, ça ferait du bien à tout le monde.*

Serin (S'rin)

Quand on veut parler d'un homosexuel.

Se squizer

(De l'anglais *squeeze* : se serrer)

1. S'entasser les uns sur les autres.

Ex. : *Va falloir se squizer un peu s'il faut faire monter tout le monde dans la même voiture.*

2. Se serrer la ceinture.

Ex. : *Je n'ai pas d'autre choix que de squizer tout le monde à la maison, mon budget est de plus en plus serré.*

Se tirailler
Se chamailler, se bousculer pour s'amuser.

Ex. : *Les enfants, arrêtez de vous tirailler, sinon ça va mal finir.*

Shède
(Mot anglais *shed*)

Genre de petit hangar servant au rangement.

Ex. : *André, va mettre la brouette dans la shède, s'il te plaît.*

Shoe-claques
Genre de couvre-chaussures en caoutchouc pour la pluie.

Shorts (les)
Mot employé pour parler d'un slip pour homme.

Sink
(Mot anglais)

Évier, lavabo.

Sirop de poteau
Pour désigner du mauvais sirop d'érable.

Slaquer
(Dérivé du mot anglais *slack* : relâcher)

Diminuer quelque chose, ralentir.

Ex. : *Il faut que je slaque un peu le travail, je suis fatigué.*

Ex. : *Slaque un peu mon gars, à ce rythme-là tu vas t'épuiser.*

Slé

(Mot anglais *sleigh*)

Petit traîneau pour enfant.

Smock (un)

(Mot anglais *smock* : vêtement ample)

Genre de sarrau que l'on enfile par-dessus ses vêtements.

Smoked meat

Bœuf fumé servi surtout en sandwich très épais avec beaucoup de moutarde, des poivrons marinés et des cornichons.

Le « smoke meat » est typiquement québécois. Un restaurant affichant « Delicatessen » est spécialisé dans la coupe de cette viande fumée.

Demandez : Un « smoke meat » médium tranché mince, accompagné d'un « cherry pepper » fort ou doux.

(Le cherry pepper est un poivron rappelant la forme et la texture de la cerise.)

Souliers

Chaussures.

Il y a une célèbre chanson de Félix Leclerc qui s'intitule :

« Moi mes souliers ont beaucoup voyagé. »

Soupane

Mot parfois employé pour parler du gruau, sorte de céréales servies chaudes que l'on prend au petit déjeuner.

Ex. : *Je me rappelle, au couvent, les sœurs nous donnaient toujours de la soupane le matin.*

Souper

Dîner.

Le souper est le repas du soir.

(Certains restaurants de Paris affichent encore « soupers intimes ».)

Autrefois, le souper était toujours très copieux. On commençait avec une bonne soupe épaisse et fumante. Elle apportait du réconfort aux travailleurs qui avaient passé la journée dehors par temps froid. De nos jours, les gens mangent quand même plus légèrement le soir.

Sparages

Grands gestes ridicules.

Ex. : *Il avait beau me faire de grands sparages, je n'arrivais pas à comprendre ce qu'il voulait que je fasse.*

Stand à patates

Genre de petite roulotte où l'on fait et vend des frites.

Stepper

1. Sursauter.

Ex. : *Quand il est arrivé derrière moi, j'ai eu tellement peur que j'ai steppé.*

2. Réagir vivement à quelque chose d'inattendu.

Ex. : *Lorsque j'ai appris la nouvelle, j'ai steppé haut comme ça.*

Stépettes
Petits pas de danse.

Suce (une)
Tétine pour bébé.
Ex. : *Donne la suce au bébé, il va arrêter de pleurer.*

Sucette
Marque laissée sur la peau après l'avoir sucée fortement.

Suçon
Sucette.
Ex. : *J'ai apporté un paquet de suçons pour les enfants.*

Suffragette
Femme très bavarde, une commère.
Ex. : *La voisine c'est une vraie suffragette. Elle ne se mêle jamais de ses affaires.*

Suiveux
Qui n'a aucune personnalité et qui suit toujours derrière les autres.

Swigner
Faire la fête, danser, bambocher.

Système de son
Chaîne stéréo, hi-fi.

TABERNACLE !... :
LES JURONS QUÉBÉCOIS

Voici les jurons les plus utilisés, employant des mots ou des objets se rapportant à l'église.

– Être en baptême.
– Être en câlisse (calice).
– Être en calvert.
– Être en ciboire.
– Être en crisse.
(Christ)
– Être en jésucri.
(Jésus-Christ)
– Être en osti.
(hostie)
– Être en sacrement.
– Être en tabarnak.
(tabernacle)
– Être en viarge.
(vierge)

• Beaucoup de Québecois arrivent à exprimer leur joie, leur peine, leur déception et leur colère en utilisant ces seuls mots. Certains de ces mots sont même utilisés comme verbes : câlisser, ciboirer, crisser.

Câlisser

Ex. : *J'me su r'tenu pour pas y câlisser un bec.*
(Je me suis retenu pour ne pas l'embrasser.)

Ex. : *Le tabarnak de policier m'â câlissé un ticket.*
(Le policier m'a donné une contravention.)

« Tabarnak » utilisé devant le mot policier sert à montrer la colère et la rancune. Dans le cas présent, notre individu était très fâché de recevoir ce PV.

Ciboirer

Ex. : *Je ciboire mon camp.*
(Je m'en vais.)

Ex. : *J'va y décinciboirer le portrait.*
(Je vais lui faire un mauvais parti, je vais le démolir.)

Crisser

Ex. : *J'va crisser ma job-là.*
(Je vais quitter mon travail.)

Ex. : *J'ai crissé le journal dans la poubelle.*
(J'ai jeté le journal à la poubelle.)

Ex. : *Crisse-moi patience.*
(Laisse-moi tranquille.)

• Certains utilisent la **combinaison de deux ou trois jurons** pour démontrer une plus grande colère ou une plus grande admiration.

Ex. : *Mon osti de câlisse, t'es le gars le plus détestable que je connaisse.*

Ex. : *Ciboire de tabarnak que c'était beau le feu d'artifice !*

• D'autres adeptes de jurons se spécialisent dans les **rimes**…

Ex. : *Ça glisse en crisse, si j'tombe j'va m'câsser lé dents sacrément pis j'va débarquer d'mé claques tabarnak.*

(Ça glisse en Christ, si je tombe je vais me casser les dents sacrément et je vais débarquer de mes claques tabernacle.)

Ex. : *T'es vert, calvert.*

(Tu es vert, calvaire.)

• Mais il y a aussi ceux que l'on appelle les « **petits jurons** ». Ils sont souvent le résultat de déformation des « vrais jurons ». En voici une courte liste.

Câline

Ex. : *Ah mon p'tit câline, grand-papa a eu peur…*

Câline de bine

Ex. : *J'ai faim en câline de bine. On mange à quelle heure ?*

Caltor

Ex. : *J'étais en beau caltor que tu ne sois pas là.*

Maudine

Ex. : *Maudine maman, je veux aller avec mes amis.*

Maudit(e)

« Maudit » est beaucoup utilisé.

Ex. : *Maudit que ça va mal aujourd'hui.*

Ex. : *Toi mon p'tit maudit, que j'te r'prenne pu à faire çâ.*

(Toi mon petit maudit, que je ne te reprenne plus à faire ça.)

Ex. : *Une réponse semblable, ça me met en maudit.*

Ex. : *La fille du voisin, cé une p'tite maudite détestable.*

(La fille du voisin est une petite maudite détestable.)

Ex. : *Cé du maudit bon monde !*

(C'est du bien bon monde.)

• Par contre, il y a plusieurs années et même encore aujourd'hui, les mères de famille réprimandaient leurs enfants qui disaient « maudit » à propos de tout et de rien.

– *Ce n'est pas beau, c'est pas bien, c'est pas joli de dire maudit,* disaient-elles.

– *Les enfants bien élevés ne disent pas maudit.*

Cette réprimande a donné naissance à **maudine, mautadine, mautadit**.

Maususse

Ex. : *Viens ici mon p'tit maususse, tu vas faire ce que je te dis.*

Mautadine

Ex. : *Mautadine de mautadine, je viens de briser la belle assiette de maman.*

Mautadit

Ex. : *Ah, mautadit y pleut. On devait aller se promener.*

Simonac

Ex. : *Panique pas Simonac, j'arrive.*

St-Gériboire

Ex. : *Y fait chaud en St-Gériboire ici.*

St-Sacrifice

Ex. : *À la fin de la journée je suis fatiguée en St-Sacrifice.*

Tabarnouche

Ex. : *Tabarnouche que j'ai eu peur de tomber.*

Tabarouette

Ex. : *Si tu penses que je vais te laisser mon vélo, tu te trompes en tabarouette.*

Torrieux

Ex. : *Le fils du voisin est un p'tit torrieux. Il a brisé la vitre de la fenêtre de la cuisine.*

• En quelque sorte, tous ces petits jurons sont des variantes utilisées par des personnes ne voulant pas employer des mots représentant des objets liturgiques. Par conviction, par gêne, pour ne pas être mal jugées par leurs interlocuteurs ou encore pour avoir bonne conscience. « Câlisse » devient « câline ». On dit simonac au lieu de « tabarnak ». « Tabarnouche » et « tabarouette » sont également des dérivés de « tabarnak ». Il n'en tient qu'à vous de choisir ce qui vous plaît et surtout ce qui vous convient…

Taleur

Compression des mots tout à l'heure.

Ex. : *C'est bien beau ce que tu me dis, mais taleur faudra donner des explications à la direction.*

Ex. : *Mets ça de côté, on rangera ça taleur (plus tard).*

Ex. : *Le gouvernement nous a fait de belles promesses, mais taleur il y aura des élections (dans un avenir rapproché).*

Tannant

1. Agaçant, qui tombe sur les nerfs.
2. Quand on parle d'un enfant dissipé et espiègle.

Taponer

1. Tripoter quelqu'un.
2. Prendre son temps pour faire quelque chose.

Taponeux

1. Individu aimant bien taponer et tripoter.
2. Qui aime prendre son temps pour tout.

Tarte à la farlouche

Tarte faite avec de la mélasse et des raisins secs.

Teigne

Quelqu'un qui s'impose, qui s'incruste et qui ne veut plus partir.

Tête en fromage

Fromage de tête.

Genre de pâté fait avec du veau, du porc, des épices, des oignons, du céleri et du vin blanc.

Tèteux

Individu qui est prêt à dire et à faire à peu près n'importe quoi pour obtenir des faveurs et des bonnes grâces.

Ex. : *Je me méfie d'un tèteux comme toi. Je sais que tu es prêt à tout...*

Totons (les)

Pour parler des seins d'une femme dans le langage familier.

Totoune

Qualificatif que l'on donne à une femme petite de taille et obèse.

Ex. : *Grosse totoune...*

Touffe

1. Poils pubiens de la femme.
2. Fille de piètre réputation.

Toune

(Adaptation du mot anglais, *tune*)

1. Chanson, pièce musicale.

Ex. : *As-tu écouté la nouvelle toune de Céline Dion ? C'est génial.*

2. Pour parler d'une grosse femme.
3. Mot tendre.

Ex. : *Viens voir maman, ma toune...*

Tourmaline (une)

1. Genre de chapeau à larges bords que portent les femmes.
2. Dans le langage populaire, une bouse de vache.

Tourtière

Genre de tourte de viande faite de bœuf, de porc et de veau hachés. On sert beaucoup de tourtière à la période des fêtes avec le ragoût de pattes. On peut dire que c'est de la cuisine traditionnelle.

Tracks de chemin de fer (Tracs de ch'min d'fer)

(Mot anglais)

Rails sur lesquels roulent les trains.

Ex. : *Tu sais, c'est très dangereux de se promener sur lé tracs de ch'min d'fer. Y faut pas faire ça.*

Traîne-sauvage
Genre de traîneau généralement fait en bois, qui glisse directement sur la neige sans l'aide de patins.

Traîneux
1. Quelqu'un qui ne range jamais ses choses.
2. Quelqu'un de très lent, de lambin.

Trâlée (une)
Une grande quantité de choses, un grand nombre de personnes.

Ex. : *Il est venu à la maison avec sa trâlée d'enfants.*

Trente-sous
Pièce de monnaie.

Curieusement, l'équivalent de vingt-cinq sous et non de trente.

Trimer
(Du mot anglais *trim* : tailler)

Quand on veut dire couper.

Ex. : *J'ai trimé un arbuste au jardin.*

Ex. : *Je vais aller me faire trimer les cheveux chez le barbier.*

Truie
Vieux poêle où l'on fait brûler du bois.

U, V

Ustensiles

Couverts.

Valise

Coffre arrière d'une voiture.

Ex. : *Tu peux mettre ton sac de golf dans la valise de l'auto, il y a encore de la place.*

Van

(Prononcer vanne)

Véhicule lourd servant au transport de grosses marchandises.

Varger

Frapper sur quelque chose ou sur quelqu'un avec force.

Ex. : *Ce n'est sûrement pas en vargeant sur ton chien que tu le feras obéir.*

Veilleux

Quelqu'un qui aime aller au lit très tard.

Ex. : *Mon mari est plus veilleux que moi. Il n'est jamais au lit avant minuit.*

Vente de garage

Vide-grenier.

Ex. : *Samedi, on a fait une vente de garage à la maison. On a presque tout vendu.*

Veston

La veste d'un complet.

Virailler

Par exemple, lorsqu'on cherche une adresse et qu'on a de la difficulté à trouver, on tourne en rond. On viraille…

Ex. : *On a viraillé dans tout le quartier mais on n'a pas réussi à trouver où tu habitais.*

W, Z

Waguine

(Mot anglais *waggon* : chariot)

Petite voiture à quatre roues pour enfants.

Wawaron

Dans le langage populaire, pour parler d'un gros crapaud qui croasse très fort.

Ex. : *Ça paraît que l'été est arrivé, on entend les wawarons de loin.*

Wo !

Employé lorsqu'on veut dire ça suffit, on arrête tout, c'est assez.

Ex. : *Wo ! Wo ! les enfants. J'en ai assez de vous entendre crier.*

Zézine (la)

Mot populaire pour parler du pénis.

EXPRESSIONS POPULAIRES

A

À cette heure (asteure)

Signifiant maintenant, présentement, dorénavant.

Ex. : *Asteure, on fait quoi avec le problème ?*

Ex. : *Asteure que t'es là, profitons-en pour parler.*

Ex. : *Asteure je veux que tout le personnel soit présent aux réunions.*

Aller à malle

Aller à la poste.

Ex. : *J'ai reçu un colis, penses-tu aller à la malle bientôt ?*

Aller au batte

1. Affronter une situation désagréable, s'impliquer dans quelque chose sachant bien que ça peut nous causer du tort.

Ex. : *C'est moi qui est allé au batte pour tout le monde en tant que représentant du groupe.*

2. Au base-ball, célèbre sport américain, les joueurs de chacune des deux équipes se présentent au bâton (au batte) à tour de rôle pour tenter de frapper la balle et ainsi de marquer des points.

Ex. : *Hey les gars, nous avons encore une chance de gagner, nous sommes les derniers à aller au batte.*

Aller au théâtre
Aller au cinéma.

Aller aux pommes
Aller cueillir des pommes.

Aller aux sucres
Aller manger à la cabane à sucre.
Ex. : *Si on allait aux sucres en fin de semaine ?*

Aller aux vues
Aller voir un film au cinéma.
Ex. : *Que dirais-tu d'aller manger tôt et après on pourait aller aux vues.*

Aller faire un tour sur la « Maine »
Aller se promener dans la rue où l'on retrouve des filles de petite vertu...

Aller gazer (Aller gâzer)
Aller mettre de l'essence. Faire le plein.
Ex. : *N'oublie pas d'aller gâzer avant de prendre l'autoroute, sinon tu vas tomber en panne d'essence.*

Aller mettre du gaz
Aller mettre de l'essence.

Aller prendre une marche

Passer à autre chose pour se refroidir les idées lors d'une situation contrariante.

Ex. : *Juste de la façon dont il a regardé mon projet, j'ai compris que j'étais mieux d'aller prendre une marche...*

Aller sentir

Aller voir, fouiner dans ce qui ne nous regarde pas.

Ex. : *Sors d'ici, tu n'as pas d'affaire à venir sentir dans mon bureau.*

Aller trotter

Aller se promener, se balader.

Ex. : *Cet après-midi je n'étais pas à la maison, je suis allée trotter avec ma mère.*

Aller veiller

Aller passer la soirée chez quelqu'un.

Ex. : *Samedi soir on va veiller chez son patron.*

Attendre du nouveau

Expression employée lorsqu'on veut parler d'une femme enceinte.

Ex. : *Savais-tu que Claire attend du nouveau ?*

Attraper son air

Être saisi, surpris par quelque chose ou quelqu'un.

Ex. : *Lorsqu'il a appris qu'on a gagné le gros lot, il a attrapé son air...*

Au diable la dépense
Peu importe ce que ça coûte.

Ex. : *Cette année nous nous offrons une croisière, au diable la dépense...*

Avoir de la broue dans le toupet (Avoir d'la broue dans l'toupète)
Être dans tous ses états.

Avoir de la mine dans le crayon (Avoir d'la mine dans l'crayon)
Quand on veut parler d'un homme qui a de gros appétits sexuels.

Ex. : *J'ai des problèmes avec mon nouveau petit ami. Il a un peu trop d'mine dans l'crayon...*

Avoir de la misère (Avoir d'la misère)
Avoir de la difficulté à faire quelque chose.

Ex. : *Avec un seul salaire, on a d'la misère à joindre les deux bouts.*

Ex. : *Je n'arrive pas à monter cette pièce dans le moteur, j'ai trop d'misère.*

Ex. : *J'ai beaucoup d'misère à me faire comprendre de mes supérieurs.*

Avoir de l'ouvrage
1. Avoir un emploi.

Ex. : *Pour le moment je me croise les doigts, j'ai de l'ouvrage. Je ne gagne pas beaucoup mais c'est mieux que le chômage.*

2. Avoir beaucoup de pain sur la planche.

Ex. : *As-tu vu tout ce qu'il y a à faire, c'est pas l'ouvrage qui manque.*

Avoir des bébittes

1. Avoir quelque chose qui ne tourne pas rond.
2. Avoir des complexes et des préjugés qui gâchent l'existence.

Ex. : *Tu nous gâches la vie, tu vois dé bébittes partout. Apprends à faire confiance.*

Avoir des bidoux

Avoir beaucoup d'argent.

Ex. : *Si tu veux épouser cet homme uniquement pour ses bidoux ça te regarde, mais les bidoux c'est pas nécessairement la garantie d'un bon mari.*

Avoir des gosses

(Testicules)

Quand on veut parler de quelqu'un qui fonce ou qui est très courageux. Si vous demandez à un Québécois combien il a de gosses, il vous regardera curieusement. Si vous lui dites que vous en avez cinq, il vous jettera un regard incrédule...

Avoir des môtons

Sentir une pression dans la poitrine causée par le stress et l'angoisse.

Ex. : *Quand je suis sorti de cet entretien, j'avais des môtons dans l'estomac.*

Avoir du bacon

Quand on parle de quelqu'un qui a de l'argent, qui est riche.

Ex. : *Ça prend du bacon pour être membre de ce club privé.*

Avoir du change

Avoir de la monnaie.

Ex. : *Auriez-vous un peu de change à me donner pour téléphoner ?*

Avoir du chiendent

Avoir beaucoup de caractère.

Avoir du fun

S'amuser, avoir du plaisir.

Avoir du trouble (Avoir du troube)

Avoir des problèmes.

Ex. : *J'ai assez de mes troubes, je ne veux pas connaître les tiens.*

Avoir juste le cul et les dents (Avoir jusse le cul pis lé dents)

1. N'avoir aucune personnalité.

2. Également pour parler d'une personne très maigre, rachitique.

Avoir la chienne

1. Ne pas avoir envie de faire quoi que ce soit, vouloir flâner, paresser.

Ex. : *Je n'arrive pas à commencer ce travail, j'ai la chienne.*

2. Avoir peur de quelque chose.

Ex. : *Je prends l'avion demain pour la première fois et je t'avoue que j'ai la chienne.*

Ex. : *J'aurais la chienne de traverser ce quartier seul la nuit.*

Avoir la coupe rude
Être de très mauvais poil.

Ex. : *Ce n'est pas le moment de lui parler, il a la coupe rude aujourd'hui.*

Avoir la danse de St-Guy
Quand on veut dire que quelqu'un n'arrête pas de bouger une seconde.

Avoir la falle bâsse
Être vraiment très fatigué.

Avoir la falle creuse
Avoir très faim, être affamé.

Ex. : *Si on allait manger, je commence à avoir la falle creuse.*

Avoir la flouxe
Avoir beaucoup de chance.

Ex. : *D'accord tu as gagné, mais avoue que c'était uniquement de la flouxe.*

Avoir la guédille au nez
Avoir le nez qui coule, avoir la morve au nez.

Ex. : *Le petit voisin a toujours la guédille au nez. Sa mère devrait lui apprendre à se moucher.*

Avoir la gueule fendue jusqu'aux oreilles
Avoir un large sourire.

Ex. : *Quand je lui ai donné vingt dollars de pourboire, tout de suite il a eu la gueule fendue jusqu'aux oreilles.*

Avoir l'air de la chienne à Jacques
Pour parler de quelqu'un qui est vraiment mal habillé, qui n'est pas du tout à son avantage.

Ex. : *Arrête de t'habiller comme la chienne à Jâques si tu veux avoir un peu de succès auprès des filles.*

Avoir la langue à terre
1. Être épuisé, très fatigué.
2. Avoir très faim.

Avoir la langue sale
Dire des méchancetés et des faussetés sur son prochain.

Avoir la mèche courte
Monter rapidement sur ses grands chevaux.

Ex. : *Au moindre reproche il explose. Faut dire qu'il a la mèche courte.*

Avoir la palette
Pour parler d'un individu qui veut montrer qu'il a beaucoup d'argent en sortant une liasse de billets de banque de sa poche.

Avoir la pelote à terre (Avoir la plotte à terre)
Être très fatigué, épuisé.

Avoir la vlime dans l'œil
Avoir une lueur de malice dans les yeux.

Avoir le batte au vif
Expression très vulgaire utilisée par les hommes entre eux, pour dire qu'ils ont le pénis irrité, suite à une trop grande activité sexuelle.

Avoir le cœur dans gorge
1. Avoir la nausée.
2. Avoir envie de pleurer
Ex. : *Je sais bien que c'est juste un film, mais j'étais tellement prise par l'histoire que j'avais le cœur dans gorge. Je me suis retenue pour ne pas éclater en sanglots.*

Avoir le corps raide et les oreilles molles (Avoir le corps raide pis lé oreilles molles)
Ne pas être trop en confiance, se tenir tranquille.
Ex. : *Tu ferais mieux de te tenir le corps raide pis lé oreilles molles, à la prochaine erreur tu es congédié.*

Avoir le feu au cul
Être en furie.
Ex. : *Quand j'ai vu que son fils avait brisé la télé, j'avais le feu au cul.*

Avoir le feu au passage
Être violemment en colère.

Avoir le flu
Expression employée dans le langage populaire pour parler de quelqu'un qui a la diarrhée.

Avoir le moton
Être très ému, avoir de la difficulté à parler.
Ex. : *Lorsqu'il a pris le micro pour remercier tout le monde, c'était visible qu'il avait le moton.*

Avoir le nez brun
Être prêt à tout pour pouvoir obtenir les faveurs de quelqu'un.

Avoir le temps dans sa poche
Prendre tout son temps, ne pas se presser.

Avoir le trou de cul en dessous du bras (Avoir le trou d'cul en d'sour du bras)
Être à plat.
Ex. : *Quand je suis revenue de ma promenade en vélo, j'avais le trou d'cul en d'sour du bras.*

Avoir le va-vite
Avoir la diarrhée.
Ex. : *Les trois premiers jours de mes vacances n'ont pas été très drôles. J'avais le va-vite…*

Avoir les baguettes dans les airs (Avoir les baguettes dinzairs)
Gesticuler dans tous les sens.

Avoir les bleus

Avoir le cafard, être déprimé.

Avoir les deux yeux dans le même trou (Avoir lé deux yeux dans l'même trou)

Expression du langage populaire utilisée quand on veut dire que quelqu'un a le regard fixe parce qu'il est très fatigué.

Ex. : *Denis, vas donc te coucher. T'as lé deux yeux dans l'même trou.*

Avoir les doigts dans le nez jusqu'au coude (Avoir lé doigts dans l'nez jusqu'au coude)

Se jouer dans le nez vigoureusement…

Ex. : *Quand j'ai regardé dans la voiture à côté, le passager avait lé doigts dans l'nez jusqu'au coude. C'était dégoûtant.*

Avoir les garcettes en l'air (Avoir lé garcettes en l'air)

Gesticuler beaucoup.

Ex. : *J'avais à peine déposé la facture sur la table que le client avait déjà les garcettes en l'air. Il était mécontent du prix demandé.*

Ex. : *Il est très susceptible et à la moindre remarque il a les garcettes en l'air.*

Ex. : *C'est très énervant de l'écouter. Il parle autant avec ses mains qu'avec sa bouche, il a toujours les garcettes en l'air…*

Avoir les masses en l'air (Avoir lé masses en l'air)

Faire de grands gestes pour attirer l'attention.

Peut être utilisé dans le même sens que l'expression précédente, « avoir les garcettes en l'air ».

Avoir les oreilles dans le crin (Avoir lé oreilles dans l'crin)

Être méfiant, craindre quelque chose ou quelqu'un.

Ex. : *Depuis que son patron lui a montré son désaccord, Paul a lé oreilles dans l'crin.*

Ex. : *Tout le monde à l'usine a lé oreilles dans l'crin, on parle de fermeture définitive.*

Avoir les quételles

Avoir peur de quelque chose.

Ex. : *Je t'avoue que je n'étais pas brave seul dans ce quartier, j'avais lé quételles.*

Avoir les shakes

(Mot anglais *shake* : tremblements)

1. Avoir de violents tremblements.

Ex. : *Tu commences à avoir les shakes, il faudrait que tu manges tout de suite.*

2. Avoir peur de quelque chose.

Ex. : *L'autre nuit quand j'ai entendu les cris dans la rue, j'ai eu lé shakes.*

3. Être énervé.

Ex. : *Juste avant de prononcer un discours, j'ai toujours lé shakes.*

Avoir les yeux crasse

Avoir les yeux enjôleurs.

Ex. : *Pour un petit garçon de ton âge, je trouve que tu as lé yeux plutôt crasse.*

Avoir les yeux dans la graisse de beans (Avoir lé yeux dans graisse de binnes)

Consentir sans effort.

Ex. : *Je n'ai eu aucune difficulté à la convaincre, juste à écouter mes arguments, elle avait lé yeux dans graisse de binnes...*

Avoir les yeux vitreux

Avoir les yeux brillants mais fiévreux.

Avoir quelque chose ou quelqu'un de travers dans le cul (Avoir quelque chose ou quelqu'un d'travers dans l'cul)

Quelque chose ou quelqu'un qui nous déplaît royalement et qu'on ne peut pas supporter.

Ex. : *S'il n'est pas content, il n'a qu'à me congédier. Personnellement je l'ai d'travers dans l'cul.*

Avoir sa botte

Dans le langage populaire, avoir une relation sexuelle.

Avoir son biscuit

1. Avoir sa récompense.

2. Dans un couple, quand l'homme obtient les faveurs sexuelles de sa femme.

Avoir son voyage

Être stupéfait, surpris, ne pas en revenir...

Ex. : *J'ai mon voyage ! On parle de baisser les impôts.*

Ex. : *Tu as acheté cette voiture finalement, j'ai mon voyage...*

Avoir un blind date

(Mot anglais *blind* : à l'aveuglette ; mot anglais *date* : rendez-vous. Le da se prononce dé)

Avoir un rendez-vous galant, sans toutefois connaître au préalable l'autre personne.

Ex. : *Jérôme m'a organisé un blind date pour samedi qui vient. Il ne veut pas du tout me parler de la fille que je dois rencontrer.*

Avoir un coup dans le nez

Avoir beaucoup bu.

Avoir une bedaine de bière

Petit ventre rond qu'ont souvent les hommes.

Avoir une poignée dans le dos (Avoir une pognée dans l'dos)

Pour parler d'une personne très naïve, qui peut croire n'importe quoi.

Ex. : *Tu me racontes ça comme étant la vérité, ai-je l'air de quelqu'un qui a une pognée dans l'dos ?*

Avoir un front de beu (Avoir un front d'beu)

Quelqu'un qui a du caractère et qui n'a peur de rien.

Ex. : *Paul peut dire n'importe quoi à n'importe qui, il a un front d'beu.*

Avoir un œil qui s'crisse de l'autre

Loucher, souffrir de strabisme.

Avoir un rapport

Faire un rot.

Avoir vu neiger

Avoir de l'expérience.

Ex. : *Ah mon garçon, dis-toi bien que ton grand-père a vu neiger avant aujourd'hui.*

Ayoye !

1. Employé comme exclamation.

Ex. : *Ayoye... ! Ne me dites pas que vous avez gagné le gros lot !*

2. Utilisé lorsqu'on se blesse, lorsqu'on se fait mal.

Ex. : *Ayoye ! Je me suis cogné sur le pouce avec le marteau.*

B

Barrer la porte (Bârer la porte)
Fermer la porte à clé.

Bas sur pattes (Bâs su pattes)
Quand on veut parler de quelqu'un de petite taille.

Beau bonhomme
Expression plutôt ironique pour désigner un homme qui fait tout pour essayer de paraître à son avantage.

Beau smatte
(Smatte est un dérivé du mot anglais *smart* : malin)
Individu se croyant plus intelligent qu'il ne l'est en réalité.
Ex. : *Ne fais pas le smatte avec moi. Je la connais la chanson.*
Ex. : *Si tu te crois plus smatte que tout le monde eh bien prouve-le.*
Ex. : *T'es un beau smatte toi, regarde la connerie que tu viens de faire.*

Beurrer épais (Beurrer épa)
Vanter quelque chose, exagérer une situation.

Ex. : *Je comprends que tu veuilles m'impressionner mais je trouve que tu beurres épa...*

Beurrer la face

1. Vouloir en mettre plein la vue.

Ex. : *Louis m'a beurré la face avec sa nouvelle voiture. À l'entendre, on dirait qu'il n'y a que lui qui réussit.*

2. Faire des reproches.

Ex. : *Hier au bureau, le patron m'a beurré la face en me reprochant plein de choses sur mon travail.*

Bien voyons donc (Ben voyons don)

1. Expression employée pour montrer la surprise.

Ex. : *Ben voyons don, ne me dis pas qu'il est décédé hier.*

2. L'incrédulité.

Ex. : *Ben voyons don, il n'aurait jamais fait une chose semblable.*

Boire comme une éponge

Boire de façon irraisonnable.

Bonhomme sept heures s'en vient (le)

Légende que l'on racontait aux enfants pour les forcer à aller au lit. On disait qu'il emmenait avec lui tous les petits qui ne dormaient pas.

Bonjour !

Au Québec, le mot bonjour est utilisé à toute heure du jour. Il remplace également au revoir.

Ex. : *Bonjour tout le monde ! Il est 9 heures.*

Ex. : *Paul, je vous présente Raymond.*

– Bonjour Raymond, bienvenue chez nous.

Ex. : *Il faut que je rentre chez moi. Bonjour et à demain.*

Bonsoir !

Le mot bonsoir est utilisé à n'importe quel moment de la soirée.

Aussi bien quand on arrive quelque part que quand on s'en va. On n'utilise à peu près jamais au revoir.

Booster les chiffres

(Du mot anglais *boost* : amplifier, gonfler)

Augmenter les chiffres pour que ça paraisse bien.

Booster son char

(Du mot anglais *boost* : survolter ; char : déformation du mot anglais *car*)

Faire recharger la batterie de sa voiture lorsqu'elle est morte, à plat.

Ex. : *Il faisait tellement froid que mon char ne démarrait plus, j'ai été obligé de le faire « booster ».*

Branle-cul

Quelqu'un qui prend son temps de façon exagérée.

Branler dans l'manche

Avoir de la difficulté à prendre une décision, à faire un choix.

Ex. : *La direction branle dans le manche en ce qui concerne l'augmentation des tâches.*

Ex. : *On ne sait toujours pas où nous irons en vacances, mon mari branle dans le manche.*

Branleux

1. Une personne qui met beaucoup de temps à réaliser quelque chose ou à faire un travail donné.

Ex. : *Ne fais pas réparer ta voiture par ce gars-là, il est trop branleux. Il va mettre le double du temps nécessaire.*

2. Individu qui prend la vie du bon côté et qui ne s'en fait pas trop.

Ex. : *Paul n'est pas encore arrivé, il est toujours en retard. Avec lui ce n'est pas surprenant, il est tellement branleux.*

Brasser quelqu'un

Lui secouer les puces, le réprimander violemment pour le faire réagir.

Ex. : *Jacquot ne fait pas grand-chose à l'école, il aurait besoin d'être brassé un peu.*

Broche à foin

1. Quand on veut dire que quelque chose ne fonctionne pas bien ou est en mauvais état.

2. Quelque chose de mal organisé, mal fait.

Ex. : *Ça ne me plaît pas beaucoup de faire un stage dans cette société, ils sont reconnus pour être un groupe de broches à foin.*

C

Ça coûte un bras (Ça coûte un brâs)

Lorsqu'on veut dire que le prix de quelque chose est très élevé.

Ex. : *Un Français nouvellement arrivé au Québec doit se faire amputer une jambe. Le médecin lui dit : – Mon ami, si vous n'avez pas d'assurance et que je vous ampute la jambe, ça va vous coûter un bras...*

Ça fait que (Ca fa que)

Se traduit par alors.

Ex. : *Ça fa que moi, quand je suis arrivé, tout le monde était déjà parti.*

Ex. : *Ça fa que c'est ça, on doit partir demain.*

Câler l'orignal

Expression dans le langage populaire pour parler de quelqu'un qui fait des efforts pour vomir après avoir trop bu.

Ça marche à planche

Ça va très bien, tout fonctionne parfaitement.

Ex. : *Paul et moi sommes de nouveaux associés, les affaires marchent à planche.*

Ça m'arrache le cœur

Lorsqu'une situation nous bouleverse et nous met dans tous nos états.

Ça me fait mal au cœur

Avoir beaucoup de peine, être attristé par quelque chose.

Ex. : *Ça me fait mal au cœur de savoir qu'il y a des enfants qui n'ont rien à manger.*

Ça n'a pas adonné (Ça pâs adonné)

Ça n'a pas été possible, les circonstances ne s'y sont pas prêtées.

Ex. : *Nous sommes désolés de ne pas avoir assisté à votre soirée mais ça pâs adonné.*

Ça n'a pas de bon sens (Ça pâs d'bon sen)

Ça n'a aucun sens, c'est impossible.

Ex. : *Tu devrais l'entendre jouer de la clarinette, ça pâs de bon sen.*

Ça ne me dérange pas (Ça m'dérange pâs)

Expression utilisée surtout par les adolescents. Lorsqu'on leur demande s'ils veulent quelque chose, ils répondront très souvent par « ça m'dérange pâs »…

Ça ne me fait pas un pli (Ça m'fa pâs un pli)

Ça m'est complètement égal, ça ne me dérange pas du tout.

Ex. : *Je ne suis pas jaloux, ça m'fa pâs un pli que Lucie soit sortie avec lui.*

Ça ne se peut pas (Ça s'peut pâs)

Expression employée dans le sens de « ce n'est pas possible », « c'est pas vrai », pour montrer une réaction positive ou négative.

Ex. : *Ça s'peut pâs comme c'est beau.*

Ex. : *Ça s'peut pâs qu'il soit mort.*

Ça prend tout mon petit change (Ça prend tout mon p'tit change)

Faire quelque chose qui demande un très gros effort.

Ex. : *J'ai fini par dire oui, mais ça m'a pris tout mon p'tit change.*

Ça s'peut tu

Est-ce possible ?

Cassé comme un clou (Câssé comme un clou)

Être fauché.

Ex. : *Je ne peux pas vous accompagner, je suis cassé comme un clou.*

Ça tombe comme des clous

Lorsqu'il pleut très fort.

Ça y va aux toasts

Expression utilisée pour dire que ça va vite, que quelque chose se fait rapidement.

C'est bien sacrant (Cé bin sacrant)

Quand on veut dire que quelque chose de fâcheux vient de se produire et que ça nous met en rogne.

C'est capotant (Cé capotant)

Expression utilisée très souvent dans le langage familier pour dire à quel point c'est extra, c'est renversant.

C'est correct (Cé correc)

Signifiant que tout est bien, que ça va.

C'est cru (Cé cru)

Pour dire qu'il fait froid et humide.

Ex. : *Je suis sorti tôt ce matin et j'ai trouvé que c'était cru.*

C'est dans le parfait (Cé dans l'parfa)

C'est parfait, ça va aller.

C'est de la petite bière (Cé d'la p'tite bière)

Pour dire qu'une situation n'est pas grave, est sans grande importance.

Ex. : *Ta querelle avec Luc, cé d'la p'tite bière. Crois-moi.*

C'est écœurant

Expression utilisée pour désigner quelque chose d'extraordinaire ou au contraire quelque chose de terrible.

Ex. : *As-tu entendu la trame sonore de ce film, c'est écœurant* (magnifique).

Ex. : *Va manger à ce restaurant, la bouffe est écœurante* (extraordinaire).

Ex. : *Je l'écoutais parler, j'étais écœuré* (impressionné).

C'est fâchant (Cé fâchant)

Ça met en colère.

Cé kioute

(Du mot anglais *cute* : mignon)

C'est mignon, c'est adorable.

Ex. : *La fillette était tellement kioute quand elle a récité le poême.*

Cent piastres la craque (Cent piasses la craque)

Cent dollars par personne, par tête de pipe.

Ex. : *Pour assister à ce spectacle, ça coûte cent piasses la craque. C'est trop cher pour moi.*

C'est le « free for all » (Cé le « free for all »)

(Expression anglaise signifiant libéral, gratuit, sans façon)

C'est un laisser-aller général. Tout est permis.

Ex. : *Quand je suis arrivée dans la classe, c'était le free for all. Les élèves criaient, couraient partout. Il y en avait même qui étaient grimpés sur les pupitres. J'ai pris la situation en main assez vite.*

C'est pas comprenable (Cé pâs comprenable)

C'est tout à fait incompréhensible.

CE N'EST PAS LA TÊTE À PAPINEAU
(CÉ PÂS LA TÊTE À PAPINEAU)

Homme politique québécois réputé pour son intelligence.

Ex. : *Je te dis que le nouvel employé cé pâs la tête à Papineau.*

• Toutes les expressions et les mots qui suivent ont à peu près la même signification. Ils sont employés pour parler d'individus niais, peu brillants, insignifiants, peu dégourdis et pas débrouillards du tout.

Avoir les deux pieds dans la même bottine

Bozo
(Félix Leclerc a écrit une chanson intitulée *Bozo*.)

Ce n'est pas lui qui a posé les « springs » aux sauterelles (Cé pâs lui qui a posé lé springs après lé sautrelles)
(Mot anglais *spring* : ressort)

Ce n'est pas une lumière (Cé pâs une lumière)

Chromo

Concombre (Cocombre)

Codinde

Épais (Épa)
   Ex. : *Ce gars-là n'est pas juste épais, il est épa !*
   Ex. : *Ne me parle pas de lui. C'est un épa dans le plus mince !*
   Ex. : *C'est un gros épa ! Il ne comprend jamais rien.*

Espèce de casque de bain (Espèce de casse de bain)

Espèce de motté

Être sans dessein

Gnochon

Grelot (Guerlot)

Il fait simple (Y fa simple)

Il lui manque un taraud (Y yi manque un taraud)

Innocent

Niaiseux

Tarla

Tata

Tête de mope

Ti-casse

Ti-clin

Ti-zoune

Toton

Zaza

Ce n'est pas si pire que ça (*Cé pâs si pire que çâ*)
Ce n'est pas si terrible que ça, après tout.

C'est au bout (*C'tau boutte*)
C'est super, c'est extra.
Ex. : *As-tu entendu la dernière chanson de Mylène Farmer, c'tau boutte !*

C'est effrayant (*C't effrayant*)
1. C'est épouvantable, dans le sens de c'est affreux.
2. C'est extraordinaire, c'est super.

C'est en plein ça (*C't en plein çâ*)
C'est exactement ça.

C'est platte (*Cé platte*)
1. Employé dans le sens de « c'est bien dommage ».

Ex. : *Cé bin platte que t'aies perdu ton emploi.*
2. Aussi pour dire que quelque chose est ennuyeux.
Ex. : *Je n'ai jamais vu un film aussi platte.*

C'est spic and span (Cé « spic n span »)

(Adaptation du nom d'une marque commerciale de détergent)

Lorsqu'on veut parler de quelque chose ou de quelqu'un de très propre.

Ex. : *Même si on est arrivé chez elle à l'improviste, crois-moi c'était « spic n span » de la cave au grenier.*

Cé tiguidou

C'est parfait, ça convient tout à fait.

Ex. : *– Que pensez-vous de ma proposition ?*
– Cé tiguidou.

Ex. : *Suis-je habillé correctement ?*
– Cé tiguidou.

Ex. : *– Acceptez-vous cent dollars pour faire ce travail ?*
– Ce serait tiguidou si vous mettiez cinquante dollars de plus.

Ex. : *– Salut Paul, comment vas-tu ?*
– Ça va tiguidou.
– Et les affaires, ça se passe bien ?
– Les affaires ! Tout est tiguidou.

Cé-tu assez beau

Expression dans le langage populaire pour montrer à quel point quelque chose est beau. « Cé-tu assez » s'utilise aussi avec d'autres adjectifs ; ex : bon, laid, gros, agréable…

Change d'air
Utilisé pour dire à une personne qu'elle a l'air bête et qu'on veut la voir sourire.

Ex. : *Change d'air s'il te plaît, sinon la journée va être longue.*

Changer d'air
Changement dans la physionomie d'une personne causé par une surprise, une peur, une peine ou une réprimande.

Ex. : *Elle a changé d'air tout de suite lorsque je lui ai appris la nouvelle.*

Changer l'huile
Faire la vidange d'huile.

Changer quatre trente sous pour une piastre (Changer quatre trente sous pour une piasse)
Ne faire aucun profit.

Changer un chèque
Encaisser un chèque.

Chauffer les fesses
Donner une bonne fessée.

Ex. : *Pierrot, si tu n'écoutes pas papa, tu vas te faire chauffer lé fesses.*

Chauffer son char

Conduire sa voiture.

Ex. : *C'est moi qui ai chauffé le char du maire pendant tout le trajet.*

« Checker » quelque chose (Tchèquer quec chose)

(Francisation du mot anglais *check*)

Vérifier quelque chose.

Ex. : *Attends-moi une seconde, j'ai oublié de tchèquer quec chose.*

Chier sur le bacu (Chier su l'bacu)

Vieille expression signifiant reculer devant quelque chose à accomplir.

Chiquer la guénille

Chercher noise à quelqu'un. Argumenter sans cesse, vouloir se quereller.

Chose...

Mot employé quand on veut parler de quelqu'un de qui on a oublié le nom ou d'un objet quelconque.

Ex. : *J'ai rencontré chose... en sortant du cinéma, tu sais chose... le gars qui habite à côté de chez toi.*

Ex. : *J'ai acheté un chose... pour s'essuyer les pieds. Un chose... un... paillasson.*

Conter des peurs (Conter dé peurs)

Raconter des histoires.

Couper dans le gras (Couper dans l'gras)

1. Diminuer les dépenses superflues.

2. Réduire les budgets dans une société là où c'est nécessaire.

Courir la galipotte
Sortir beaucoup et avoir de nombreuses aventures galantes.

Craquer quelqu'un
Narguer, dire des choses désobligeantes afin de provoquer.

Ex. : *La soirée n'a pas été très agréable, Paul a passé son temps à craquer tout le monde.*

Crier des bêtises
Dire ce que l'on pense de façon peu courtoise…

Ex. : *J'ai essayé de lui faire comprendre mes raisons, mais en retour, il m'a crié dé bêtises.*

D

Débaptiser quelqu'un
Se tromper de nom en parlant d'une personne.

Demander la facture au restaurant
Demander l'addition.

Dévisser le nombril (Dévisser le nombri)
Expression utilisée surtout auprès des enfants un peu turbulents.
Ex. : *Si tu n'es pas sage, je vais te dévisser le nombri et tes fesses vont tomber à terre.*

Donne à manger à un cochon, il viendra chier sur ton perron (Donne à manger à un cochon, y viendra chier su ton perron)
Vieille expression signifiant qu'il faut bien savoir choisir ses amis et réserver ses faveurs pour ceux qui en valent la peine.

Donne-lui la claque (Donne zya clacque)
Expression très populaire signifiant, allez, vas-y, tu peux le faire.

Ex. : *Si tu veux gagner cette course, donne zia claque.*

Ex. : *Allez tout le monde, on y donne la claque et dans quinze minutes, tout est terminé.*

Ex. : *J'ai donné la claque au bureau, ça m'a permis d'arriver plus tôt à la maison.*

Donner la bascule

Quand c'est l'anniversaire de quelqu'un (un enfant ou un adolescent surtout), lors d'une fête en son honneur, on lui prend les jambes et les bras pour ensuite le lancer dans les airs (et le rattraper bien sûr). Le nombre de fois étant le même que son âge.

Donner un bec en pincettes

Donner un baiser en pinçant les deux joues.

Donner un bec sur la suce (Donner un bec su a suce)

Donner un baiser sur la bouche.

Ex. : *Mademoiselle, vous êtes trop gentille, je crois que je vais vous donner un beau bec su a suce...*

Donner une grappe de bêtises

Engueuler vivement.

Drette lâ

Tout de suite, là maintenant.

Ex. : *La situation va changer drette-là, je vous le dis.*

Ex. : *Il a arrêté de parler drette-là, quand il m'a vu entrer.*

142

Dur comme une semelle de botte

Expression que l'on utilise quand on veut parler d'un morceau de viande trop cuit.

Ex. : *Le steak que j'ai mangé hier soir était dur comme une semelle de botte.*

E

Écouter d'la musique à planche

Écouter de la musique très fort. À volume maximum.

Écrire en lettres carrées

Écrire en capitales.

Ex. : *Si vous voulez bien signer ici et écrire votre nom en lettres carrées en dessous.*

Efface

Quand on veut dire à quelqu'un de s'en aller, de disparaître.

Ex. : *J'en ai assez de te voir, efface...*

Embarquer quelqu'un sur le pouce (Embarquer quelqu'un su l'pouce)

Faire monter en voiture quelqu'un qui fait du stop.

En arracher

Avoir des problèmes.

Ex. : *Mon frère est sans emploi depuis huit mois. Il en arrache beaucoup.*

En avoir plein son casque (En avoir plein son casse)

En avoir assez, ne plus pouvoir supporter une situation.

Ex. : *J'en ai plein mon casse d'avoir à vivre avec ta mère. Il faut qu'elle s'en aille.*

En enlever une pelure (En enl'ver une plure)

Enlever son manteau, un vêtement.

Ex. : *Tu serais mieux d'en enl'ver une plure, la pièce est surchauffée, tu vas crever...*

En manger une

Recevoir une bonne raclée.

Ex. : *Mon petit sacripant, continue à m'énerver et je te promets que tu vas en manger une et toute une à part ça.*

Espèce de p'tite vlimeuse

Petite coquine.

Être accoté

Vivre en concubinage.

Ex. : *Êtes-vous mariés ou juste accotés ?*

Ex. : *Moi le mariage ne m'intéresse pas, je préfère vivre accoté.*

Être assis sur son steak

Rester à ne rien faire. Perdre son temps alors qu'il y a plein de choses à faire.

Ex. : *Pour nettoyer le jardin de ma tante, tout le monde a mis la main à la pâte. Sauf moi, je suis resté assis su mon steak.*

Être au boutte
1. En avoir assez de quelque chose.
Ex. : *Il faut que ce bruit cesse au plus tôt, moi je suis au boutte.*
2. Être épuisé.
Ex. : *J'ai travaillé quinze heures d'affilée, je ne peux pas continuer, je suis au boutte.*
3. Être super.
Ex. : *Tu lui as vraiment donné ta montre, t'es un gars au boutte.*

Être au coton
1. Être à bout d'une situation, de quelque chose.
Ex. : *Je quitte cet emploi, je n'en peux plus, je suis au coton.*
2. Être très fatigué.
Ex. : *Il faut que j'arrête de marcher, je suis au coton.*

Être au-dessus de ses affaires (Être au d'su de sé affaires)
Être très à l'aise, montrer que tout va pour le mieux.

Être bandé bien raide (Être bandé bin raide)
1. Se pâmer devant quelqu'un ou quelque chose.
2. Être en érection.

Être beau ou belle comme un cœur
Être très joli.

Être belette (Être blette)

Pour parler de quelqu'un qui ne se mêle pas de ses affaires.

Ex. : *Ma cousine a toujours le nez fourré partout, une vraie blette.*

Être bien chaud (Être bin chaud)

Quand on veut parler de quelqu'un qui a bu.

Ex. : *T'es vraiment pas drôle quand t'es bin chaud.*

Être blanc comme un drap

Être blême, être sur le point de s'évanouir.

Être bleu marin

Être très en colère.

Ex. : *Lorsque j'ai vu le montant de la facture pour la réparation, j'étais bleu marin.*

Être bogué

(Du mot anglais *bug* : ennui)

Être ennuyé, agacé.

Ex. : *Je t'avoue que la situation actuelle me bogue un peu.*

Être capable de vendre un frigidaire à un esquimau

Quand on veut parler d'un très bon vendeur ou de quelqu'un qui a un pouvoir de persuasion extraordinaire.

Être chicken

(Mot anglais *chicken*, poulet)

Être peureux, avoir peur de faire quelque chose.

Ex. : *Louis est beaucoup trop chicken, il ne voudra jamais sauter en parachute.*

Être clean

(Mot anglais *clean* : propre)

Pour une personne qui est droite et honnête. Peut aussi s'utiliser pour une situation.

Ex. : *Tu n'as pas à t'inquiéter pour Maurice, en affaire c'est quelqu'un de très clean.*

Être comme sur un spring

(Mot anglais *spring* : ressort)

Quelqu'un qui ne tient pas en place.

Être crêté

Être habillé pour une grande sortie.

Ex. : *Samedi dernier c'était le bal annuel. Tout le monde était crêté. C'était beau à voir.*

Être croche

1. Pour parler de quelqu'un qui n'est pas honnête.

Ex. : *Je ne lui fais pas trop confiance, il a l'air croche. Je ne ferai jamais d'affaires avec lui.*

2. Quelque chose qui n'est pas droit, qui est de travers.

Ex. : *Regarde le tableau sur le mur, il est croche.*

3. Pour parler de quelqu'un qui est mal habillé.

Ex. : *T'as vu le gars là-bas, regarde comment il est croche. Des pantalons trop courts, une chemise mal assortie, c'est une vraie honte.*

Être dans la merde (Être dans marde)
Avoir de gros problèmes.

Être dans le barda (Être dans l'bardâ)
1. Faire du ménage.
2. Être dans un fouillis indescriptible.

Ex. : *Nous avons bien hâte que les travaux soient terminés. Ça fait trois semaines qu'on est dans le bardâ.*

Être dans une draffe
(Adaptation du mot anglais *draft* : courant d'air)
Être dans un courant d'air.

Ex. : *Veux-tu fermer la fenêtre, je suis assis dans une draffe. Je ne veux pas attraper un rhume.*

Être décrissé de la vie (Être décrissé d'la vie)
Être complètement découragé.

Ex. : *Je viens de perdre mon emploi, je ne sais pas quoi faire. Je suis complètement décrissé d'la vie.*

Être d'jamé
(Du mot anglais *jam* : bloqué, coincé, embouteillage)
1. Être coincé dans quelque chose.

Ex. : *Ce matin je suis arrivé en retard au bureau, j'étais d'jamé dans le traffic.*

2. Ne plus pouvoir faire avancer les choses.

Ex. : *On a dû arrêter d'imprimer, la machine a d'jamé.*

Être drabe
1. Être de couleur beige.

Ex. : *J'ai acheté une belle veste drabe pour porter avec mes pantalons bruns.*

2. Être ennuyeux, terne.

Ex. : *C'était drabe hier à la soirée chez Denis. Il n'y avait personne d'intéressant.*

Être écarté

1. Être perdu.

Ex. : *Lorsqu'il m'a appelé, il était complètement écarté, faut dire qu'il ne connaît pas bien les rues de la ville.*

2. Pour parler de quelqu'un qui n'a pas toute sa tête.

Ex. : *Ne perds pas ton temps à discuter avec lui, il est tellement écarté.*

Être écartillé

1. Avoir les jambes écartées.

2. Avoir de la difficulté à se concentrer sur une seule activité. Vouloir faire trop de choses en même temps.

Être en balloon (Être en balloune)

(Mot anglais *balloon*, ballon)

Expression plutôt grossière pour parler d'une femme enceinte.

Ex. : *C'est terrible, Pauline est encore en balloune.*

Être en beau joual vert

Être très fâché.

Être en famille

Être enceinte.

Ex. : *Es-tu au courant pour Nicole ? Elle est en famille.*

Ex. : *Denise est partie en famille il y a bientôt quatre mois.*

Être en shape
(Mot anglais *shape* : forme)
Être en grande forme physique.

Ex. : *Depuis que je fais de la course à pied, je suis vraiment en shape.*

Être équipé
1. Être bien organisé.

Ex. : *On est équipé pour faire face à toutes les urgences.*

2. Quand on parle d'un homme qui a les organes intimes très développés...

Être fatiqué
Être fatigué. On dira souvent « chus bin fatiqué » (je suis très fatigué).

Dans le langage populaire de la rue, le g a été remplacé par le q.

Être fier pète
Être orgueilleux et fier de sa personne.

Ex. : *Ma mère est tellement fière pète, elle ne sortirait jamais sans maquillage.*

Être fin
Être très gentil.

Ex. : *Merci monsieur d'avoir ramassé mon sac, vous êtes pas mal fin.*

Être flat (Être flatte)
(Du mot anglais *flat* : terne, insipide)
1. Être ennuyeux, sans envergure.
2. S'emploie aussi pour parler d'une bière ou d'un soda sans bulles, éventé.

Être flush
(Mot anglais *flush* : plein d'argent)
Être généreux.
Ex. : *Paul est un gars flush, il donne à tous les mendiants.*

Être flyé
Qualificatif que l'on donne à une personne qui est ou qui agit en dehors de la normale, qui se comporte bizarrement.

Être foké bien raide
Être très perturbé, être en dehors de la réalité.

Être foné
(Mot anglais *phoney* : faux)
Pour parler de quelqu'un qui est faux, qui joue constamment un jeu, un rôle.
Ex. : *Hier j'ai rencontré Robert, tu sais le gars qui habite avec Marc. Il est toujours aussi foné, il veut donner l'impression d'être quelqu'un très important dans la vie.*

Être fort sur quelque chose (Être fort su quec chose)

Priser quelque chose, apprécier beaucoup.

Ex. : *Louis est fort sur la musique de jazz. Tu devrais voir sa collection de disques compacts.*

Être fou-braque

Être complètement cinglé.

Être gommé

Pour parler de quelqu'un qui est ivre.

Ex. : *J'étais pas mal gommé quand je suis parti de chez Lucien l'autre soir.*

Être gras-dur

Être bien, avoir ce qu'il faut.

Ex. : *Même s'il y avait une tempête de neige, on est gras dur, on peut rester une semaine à la maison sans sortir. On a plein de provisions.*

Être guerlot

Avoir trop bu, être ivre.

Ex. : *Après le party chez Alain, j'étais pas mal guerlot.*

Être habillé comme un oignon

Être habillé très chaudement, avec plusieurs épaisseurs de vêtements.

Ex. : *Avec le froid qu'il faisait ce matin, je me suis habillée comme un oignon. J'ai mis un chandail à col roulé avec un pull en laine par-dessus, plus ma grosse veste de lainage sous mon manteau.*

Être juste sur une gosse (Être jusse su une gosse)

Pour parler de quelqu'un qui est très pressé, qui doit partir rapidement.

Ex. : *Il est resté à peine deux minutes au restaurant, il était jusse su une gosse. Il avait un autre rendez-vous.*

Être laid comme un singe

Pour un individu qui n'est pas très favorisé physiquement par la nature.

Être lodé

(Adaptation du mot anglais *load* : charger)

Être très occupé, avoir beaucoup de pain sur la planche.

Ex. : *Je ne peux pas en faire plus, au bureau je suis lodé jusqu'aux oreilles.*

Être endetté.

Ex. : *Je ne peux pas faire de folies, je suis lodé au maximum.*

Être mal amanché

1. Ne pas paraître au mieux physiquement.
2. Être dans une situation inconfortable.

Ex. : *On est mal amanché. On est en vacances loin de chez nous et on n'a plus un sou.*

Être mal attriqué

Être mal vêtu, ne pas être à son avantage.

Être mal pris

Se retrouver dans une situation difficile.

Ex. : *Je suis mal pris j'ai besoin d'un peu d'argent, peux-tu m'aider ?*

Être merdeux (Être mardeux)
Avoir beaucoup de chance.

Ex. : *Y a pas plus mardeux que Paul au golf. Il a fait un putt de vingt mètres directement dans le trou.*

Être mean
(Mot anglais *mean* : radin, se prononce mine)

Quand on veut parler de quelqu'un de mesquin, radin, peu généreux.

Ex. : *Jean est tellement mean qu'il n'a même pas voulu donner à la collecte pour la fête de Louise.*

Être mélangé
Se tromper.

Ex. : *Excusez-moi, je ne vous ai pas remis la monnaie exacte, je me suis mélangé dans mes calculs.*

Être mêlé
Être perdu, perturbé, ne pas trop savoir où l'on en est.

Être pacté
Être soûl, avoir trop bu.

Ex. : *Tu aurais dû voir Marcel et Christian à la soirée samedi dernier. Ils sont repartis tous les deux pactés.*

Être pâmé bien dur (Être pâmé bin dure)
1. Quand on veut parler d'un enfant qui pleure à fendre l'âme.

2. Être en admiration devant quelqu'un ou quelque chose.

Être paré
Être prêt.

Ex. : *Paré ou pas paré faut y aller maintenant, sinon on va être en retard.*

Être petit coq (Être ti-coq)
Pour parler d'un individu très soupe au lait.

Être plié en deux
1. Pour parler de quelqu'un pris d'un fou rire terrible.
2. Quand quelqu'un ressent une violente douleur.

Être pogné
1. Être coincé.

Ex. : *Dans l'avion, j'avais le siège au centre. J'étais pogné entre un gros monsieur et une femme avec son bébé. C'était l'horreur.*

2. Être complexé.

Ex. : *Il est beaucoup trop pogné dans sa tête, pour faire face à la situation.*

3. Être pris par une situation.

Ex. : *Paul est pogné pour travailler en fin de semaine, il ne pourra pas assister à notre soirée samedi.*

Être poqué
1. Ne pas être frais, avoir trop fait la fête.

Ex. : *On a bu, une bonne partie de la nuit, y fallait nous voir le lendemain matin, on était terriblement poqués tous les quatre.*

2. Ne pas avoir bonne mine.

Ex. : *T'as l'air poqué, as-tu été malade ?*

Être pris comme un cheval (Être pris comme un ch'val)

Lorsqu'on veut parler d'une personne bien bâtie, grosse et grande.

Ex. : *Mon professeur de karaté est pris comme un ch'val.*

Être pris dans une gamic

Être coincé dans une galère, dans une situation peu souhaitable.

Ex. : *Après ce que vous venez de me dire, je ne vous fais pas confiance, je crains que ce soit une gamic pour m'embarquer dans quelque chose de malhonnête.*

Être ratoureux

Être fin renard, avoir plusieurs tours dans son sac.

Être rouge comme une tomate

1. Pour parler d'une personne très timide.
2. Quand quelqu'un a pris trop de soleil.
3. Après un effort ou un exercice physique violent.
4. Lors d'une crise de colère.

Être saffe

Être glouton.

Ex. : *Ne sois pas aussi saffe, il y en a pour tout le monde, de la tarte.*

Être sans-cœur

Être fainéant, paresseux.

Ex. : *Le fils de Madeleine est un vrai sans-cœur. Il ne travaille pas et en plus il ne se cherche même pas d'emploi.*

Être slim

(Mot anglais *slim* : svelte)

Avoir une belle taille, être très mince.

Ex. : *Depuis que j'ai suivi ta diète miracle, je suis devenue slim.*

Être soûl comme une botte

Être complètement ivre.

Être sur le piton

Être en pleine forme, être d'attaque.

Ex. : *Que ce soit le lundi ou le vendredi, il est toujours sur le piton. Je ne sais pas comment il fait pour être toujours aussi en forme.*

Être sur les planches

Lorsqu'une personne décédée est « exposée » au salon funéraire.

Ex. : *Quand mon oncle est décédé, il est resté deux jours sur les planches.*

Être swell

(Mot anglais *swell* : chic)

Être chic.

Ex. : *Au mariage de ma cousine, j'étais pas mal swell avec ma belle robe bleue.*

Être tanné

En avoir assez.

Ex. : *Je suis tanné d'être harcelé par le téléphone toute la journée.*

Être un beau poisson

Être quelqu'un de très crédule, de facile à berner.

Être une vraie tache

S'imposer partout, agacer tout le monde par notre présence.

Ex. : *Ah non, y a la tache qui s'amène, moi je m'en vais avant qu'elle n'arrive.*

Être un jaune

Un individu peureux, qui a peur de révéler ses opinions.

Être un panier percé

Pour parler de quelqu'un de très bavard, qui raconte tout. Personne à qui il ne faut surtout pas faire de confidences.

Être un p'tit ou une p'tite vite (Être un petit ou une petite vite)

Être très vif et très dégourdi.

Ex. : *Paul est un p'tit vite, tu ne lui expliques jamais deux fois la même chose.*

Être un Ti-Jos connaissant

Pour parler de quelqu'un qui dit tout savoir et tout connaître.

Ex. : *Mon beau-frère est un vrai Ti-Jos connaissant. Que tu lui parles de n'importe quoi il connaît ça. C'est très désagréable.*

Être vite sur ses patins (Être vite su sé patins)

Quand on veut parler d'un individu capable de se sortir rapidement d'une situation difficile.

Être willing

(Du mot anglais *will* : vouloir, de plein gré)

Être d'accord pour faire quelque chose.

Ex. : *Je suis willing d'aller demander la permission à condition que tu viennes avec moi.*

Être wise

(Mot anglais *wise* : avisé, sage)

Être plein d'initiatives, vif et très dégourdi.

F

Face de beu
Quand on parle de quelqu'un qui a l'air bête et qui semble peu aimable.

Face de bouette
Pour parler de quelqu'un qui n'est pas joli du tout.
Ex. : *Il a peut-être une face de bouette, mais il est vraiment très gentil. Ce n'est quand même pas sa faute s'il est aussi laid.*

Face de cochon
Quelqu'un qui a l'air très désagréable.

Faire de l'air
Pour dire à quelqu'un de partir et vite, d'aller voir ailleurs.

Face de singe
Pour parler de quelqu'un ayant un faciès comique.

Face laide (Face lette)
Qualificatif que l'on donne à un individu qui n'est pas très joli. Employé aussi pour blaguer.

Ex. : *Viens ici que je t'attrape, mon espèce de face lette.*

Faire des flammèches

1. Quand on veut parler d'une situation qui est plutôt tendue, où il risque d'y avoir escarmouche.

2. Pour parler de personnes qui discutent violemment et qui ont des opinions différentes.

3. Coup de foudre entre deux personnes.

Faire des pistes penchées

Partir, s'en aller rapidement, signifier à une personne de dégager.

Faire du ch'val

Monter à cheval, faire de l'équitation.

Ex. : *Dimanche dernier, je suis allé à la campagne avec Luc pour faire du ch'val.*

Faire du foin

Faire de l'argent.

Faire du magasinage

Aller faire des courses, du shopping.

Ex. : *Pauline et moi avons fait du magasinage toute la matinée.*

Faire du pouce

Faire de l'auto-stop.

Ex. : *Ma fille, il est très dangereux de faire du pouce. Tu ne connais jamais le genre d'individu qui peut te faire monter dans sa voiture.*

Faire du pouce sur son idée

Continuer de mûrir une idée. Dans les séances de brain storming (remue-méninges) par exemple, tenter de développer davantage une idée lancée.

Faire dur

1. Être mal vêtu, mal coiffé, ne pas être à son avantage.

Ex. : *Est-ce possible, avoir autant d'argent et faire aussi dur.*

2. Pour parler d'une situation difficile à supporter.

Ex. : *Ça fait dur, on n'arrive même pas à joindre les deux bouts.*

3. Avoir des problèmes.

Ex. : *À la maison ça fait dur, ma femme me boude depuis une semaine.*

Faire étriver

Taquiner, se payer la tête de quelqu'un.

Faire la vague

Mouvement ascendant et descendant d'une foule pour manifester son support lors d'un match ou d'un spectacle.

Faire le beau cœur

Quand un homme veut être charmeur, aguicheur.

Ex. : *Arrête de faire le beau cœur, je ne t'accompagnerai pas à la soirée des finissants.*

Faire le saut

Être pris par surprise, sursauter.

Ex. : *Je ne l'ai pas entendu arriver, en me retournant il était là, j'ai fait un méchant saut.*

Faire le train

Ensemble des travaux se rapportant à la traite des vaches dans une ferme. Nettoyer l'étable, donner à manger aux animaux, rentrer le foin et bien sûr traire les vaches.

Faire pic-pic

Faire pitié.

Ex. : *Oh là là, ça fait pic-pic ton affaire.*

Faire quelque chose en criant « binne »

Faire quelque chose rapidement.

Ex. : *Vous voulez laver votre voiture. Eh bien moi je vous fais ça en criant « binne ».*

Faire tirer son portrait

Se faire prendre en photo.

Faire tout un chiar

Faire une histoire pour quelque chose de bénin.

Ex. : *Ils ont fait tout un chiar parce que je n'avais pas fermé à clef.*

Faire un bi

Expression employée quand on veut parler de plusieurs personnes qui mettent en commun leur travail et leurs efforts pour faire ou réaliser quelque chose.

Ex. : *Samedi dernier, toute la famille on a fait un bi pour nettoyer le grenier chez ma grand-mère. Elle était tellement contente.*

Faire un break

(Mot anglais *to break* : forcer, dévaliser)

Faire un vol, dévaliser quelqu'un.

Faire un clean up

(Expression anglaise : nettoyer)

1. Faire maison nette.

Ex. : *Quand je suis arrivé à la maison, les amis de mon fils étaient tous là. Laisse-moi te dire que j'ai fait un méchant clean up. Ils sont tous repartis.*

2. Faire un grand ménage.

Ex. : *J'ai fait un clean up dans le garage la semaine passée.*

Faire une joke

(Mot anglais *joke* : plaisanterie)

Faire une blague.

Ex. : *Ne prenez pas ça au sérieux, c'est une joke !*

Faire une passe (Faire une pâsse)

Faire un bon coup.

Ex. : *En achetant cet immeuble, je te dis que j'ai fait une pâsse.*

Faire une ride

(Mot anglais *ride* : balade)

Aller faire un tour, une promenade.

Faire un finger

(Mot anglais *finger* : doigt. Se prononce finegueur)

Geste grossier consistant à lever l'index de la main bien haut pour signifier à quelqu'un qu'on l'envoie promener et qu'on se fiche de lui.

Ex. : *L'autre jour, j'ai demandé au gars en moto de ne pas s'appuyer sur ma voiture le temps qu'on attendait au feu. Il ne m'a même pas regardé et il m'a fait un finger. Ça m'a mis très en colère.*

Faire un flat

(Du mot anglais *flat* : crevaison)

Subir une crevaison.

Ex. : *Je trouvais que mon char tirait sur la droite, évidemment j'avais un flatte du côté passager.*

Faire un potte

1. Mouvement de la lèvre inférieure d'un bébé ou d'un jeune enfant sur le point de se mettre à pleurer.

2. Amasser une somme d'argent auprès de plusieurs personnes, au travail par exemple, pour acheter un cadeau à un employé dont c'est l'anniversaire ou qui doit partir.

Ex. : *Mets la main dans ta poche, on fait un potte à l'occasion du départ de la secrétaire, on espère amasser cent dollars.*

Faire un téléphone longue distance

Appel interurbain.

Ex. : *Louise, il y a un téléphone longue distance pour toi. Tu le prends dans ton bureau ou ici ?*

Faire un willi

À bicyclette ou en moto, faire un départ précipité sur une seule roue, la roue arrière.

Faiseur de troubles (Feseu de troubes)

Quelqu'un qui sème la discorde partout où il passe.

Fait à l'os

Être cuit, perdu d'avance.

Ex. : *Si nous n'arrivons pas à marquer un but dans les trente secondes on est faits à l'os, adieu la finale.*

Fanderine

Sobriquet que l'on donne à une femme que l'on connaît, mais dont on a oublié le nom momentanément.

Ex. : *Demande à ta copine là-bas, Fanderine...*

Fermer sa boîte

Dans le langage populaire, se taire.

Filer croche

1. Ne pas se sentir bien physiquement.

Ex. : *Je file un peu croche ce matin, je me demande bien à quoi c'est dû, peut-être à cause de ce que j'ai mangé hier soir.*

2. Être mal à l'aise par rapport à une situation donnée.

Ex. : *J'étais tout croche quand la femme de Paul m'a demandé où il avait passé la nuit.*

Filer cheap (Filer tchip)

(De l'anglais *to feel cheap* : se sentir honteux)

1. S'en vouloir.
2. Être mal à l'aise.

Filer de travers
1. Ressentir un malaise.
2. Ne pas être confortable dans une situation.

Filer un mauvais coton
1. Ne pas être dans son assiette.
2. Être dans une mauvaise période.

Flusher
(Du mot anglais *to flush* : chasser)
Faire disparaître quelque chose ou quelqu'un de son décor.
Ex. : *Mon nouvel employé ne fait que des gaffes. Je vais le flusher.*

Flusher la toilette
(*Flush*)
Tirer la chasse d'eau.

Flyer un taxi
(Adaptation du mot anglais *fly* : au vol)
Héler un taxi.

Fonce ti-Phonce
Expression populaire signifiant allez, vas-y…

Frapper comme un gorille
Expression employée au golf quand on veut parler de quelqu'un qui cogne la balle très fort.

Frapper un nœud

Employé pour exprimer que l'on rencontre un obs-tacle lorsqu'on veut faire quelque chose.

Ex. : *Georges a frappé un nœud hier, c'est son com-pétiteur qui a eu le contrat.*

G, H

Garde tes bébelles dans ta cour (Garde té bébelles dans ta cour)

Façon de dire à quelqu'un qu'on veut avoir la paix, qu'on ne veut pas être dérangé.

Gricher des dents

Grincer des dents.

Ex. : *Entendre la craie sur un tableau noir me fait gricher des dents.*

Grimper dans les rideaux

Se fâcher violemment.

Ex. : *À la moindre remarque, il grimpe dans lé rideaux.*

Gros jambon

Qualificatif que l'on donne à un homme gros, obèse.

Gros plein de merde (Gros plein de marde)

1. Pour désigner un homme de forte corpulence à l'allure plutôt répugnante.

2. Plein de marde est aussi employé pour parler de quelqu'un de vantard, prenant la situation de haut.

Grosse torche

Expression peu flatteuse pour désigner une femme de forte corpulence et fainéante.

Gros verrat

Quand on veut parler d'un homme gros et désagréable.

Hey ! la cravate

Expression plutôt impolie employée lorsqu'on veut attirer l'attention d'un individu portant une cravate.

I

Il fait frais (Y fa frette)
Quand on veut dire qu'il fait vraiment froid.
Ex. : *En février, y fa frette en tabarouette.*
(Il fait très, très froid.)
Ex. : *Y va faire frette taleur.*
(Bientôt il va faire très froid.)

Il faut que ça passe par là (Y faut q'ça pâsse par lâ)
Ç'est comme ça que ça doit se passer.
Ex. : *Quand Denis garde les enfants, y faut q'ça pâsse par lâ.*

Il mouille à siots (Y mouille à siots)
Il pleut très fort.
Ex. : *Quand je suis sortie de chez le coiffeur, y mouillait à siots. Inutile de te dire que ma belle coiffure en a pris un coup.*

Il ne faut pas être plus catholique que le pape (Y faut pâs être plus catholique que l'pape)
Il ne faut pas exagérer, couper un cheveu en quatre.

Il n'y a pas d'offense (Y â pâs d'offense)

Expression polupaire signifiant que ce n'est pas grave, qu'il n'y a pas de problème.

Ex. : *Excusez-moi, je crois vous avoir marché sur le pied.*

– Y a pâs d'offense.

Il n'y a pas grand monde à la messe (Y â pâs grand monde à messe)

Pour exprimer qu'il n'y a pas beaucoup de monde quelque part.

Ex. : *On ne peut pas dire que ce candidat soit très populaire. Y avait pâs grand monde à messe pour son discours.*

Il n'y a rien de trop beau pour les amis de Zorro (Y â rien d'trop beau pour lés amis d'Zorro)

Utilisé pour dire que ça vaut la peine, que ça en vaut le coup.

Ex. : *Il faut faire une grande fête pour le retour de Fred. Y â rien d'trop beau pour lés amis d'Zorro.*

J

Je n'ai plus une tôle (J'ai pu une tôle)
Je n'ai plus un rond.
Ex. : *Comment veux-tu que j'aille au cinéma, j'ai pu une tôle.*

J'en ai travaillé une chotte
(Francisation du mot anglais *shot*)
J'ai travaillé beaucoup ou très fort.
Ex. : *Je te dis que j'en ai travaillé une chotte pour avoir fini à temps.*

Je ne lui aime pas la face (J'y aime pâs la face)
Trouver quelqu'un très antipathique.

Je suis bien choqué (Chus bin choqué lâ)
Je suis très très fâché, je n'entends pas rire du tout.

Je ne suis pas capable (Chus pâs capabe)
Ne pas pouvoir dire ou faire quelque chose.
Ex. : *Même avec la meilleure volonté au monde, j'sus pâs capable...*

Je vais te rentrer dans le mur (J'va t'rentrer dans l'mur)

Expression utilisée lorsqu'on veut en venir aux coups avec quelqu'un.

Ex. : *Dis un mot de plus et j'va t'rentrer dans l'mur.*

Je vais te sauter dans la face (J'va t'sauter dans face)

Quand on veut s'en prendre violemment à quelqu'un en paroles ou en gestes.

Ex. : *Arrête de m'engueuler, j'va t'sauter dans face.*

Jouer avec le gros nerf

Tomber royalement sur les nerfs de quelqu'un, lui casser les pieds.

Ex. : *Arrête de te lamenter comme ça, tu commences à jouer avec mon gros nerf.*

Jouer du violon

Raconter des histoires pour pouvoir arriver à ses fins.

Juste sur une patte (Jusse su une patte)

Quand on veut parler de quelqu'un qui est très énervé, excité, qui ne tient pas en place.

L

Lâche pas la patate (Lâche pâs la patate)

Expression utilisée dans le langage populaire pour dire de continuer, de ne pas abandonner.

Lâcher loose (Lâcher lousse)

(De l'anglais *loose* : relâché)
Laisser aller, lâcher son fou.

Le diable est aux vaches

1. Lorsqu'on veut dire qu'un endroit est très bruyant et qu'il y a beaucoup d'action.

Ex. : *Chaque fois que je vais chez le voisin, le diable est aux vaches. La télé et la radio jouent en même temps et à tue-tête, les enfants crient et le chien aboie.*

2. Quand une situation est sur le point de dégénérer et que la mésentente risque de s'installer.

Ex. : *Depuis une semaine le diable est aux vaches entre le patron et le syndicat. On est bien loin d'une entente.*

Le poil me retrousse (Le poil me r'trousse)

Employé quand on veut démontrer qu'une situation, un événement ou des paroles nous dérangent et nous rendent inconfortable.

Les Anglais sont arrivés

Expression utilisée par certaines femmes pour dire que leurs menstruations viennent de commencer.

Les nerfs...

Expression employée dans le sens de « on se calme, pas de panique ».

Ex. : *Lé nerfs... lé nerfs ! Ça ne sert à rien de se bousculer, il y en a pour tout le monde.*

Ex. : *Oh là, lé nerfs, lé nerfs... on ne me parle pas sur ce ton.*

Les sauvages sont passés

Employé autrefois pour dire qu'une femme venait d'accoucher. Les sauvages étaient passés et avaient laissé un bébé... disait-on aux enfants.

Le temps des sucres

Période au printemps (mars-avril) où les érables sont entaillés. Avec la sève recueillie, on fait le fameux sirop d'érable. C'est à ce moment précis que les cabanes à sucre ouvrent leurs portes et reçoivent les clients pour y manger différents plats typiquement québécois.

Le temps de le dire (L'temps de l'dire)

En un rien de temps, rapidement.

Ex. : *J'ai fait ma valise dans l'temps de l'dire.*

Lever le nez sur quelque chose

Rejeter, ne pas en vouloir. Faire la fine bouche sur un aliment.

Lever le nez sur quelqu'un

Le repousser, se sentir supérieur à lui.

Ex. : *Il n'a pas à lever le nez sur qui que ce soit...*
Il n'est pas mieux que les autres.

Livrer la marchandise

Bien faire un travail demandé, être à la hauteur.

Ex. : *Vous avez l'air bien intentionné, mais la vraie*
question est : Allez-vous être capable de livrer la
marchandise... ?

Lui faire avaler la poignée de porte (Y faire avaler la pognée d'porte)

S'en prendre à quelqu'un violemment pour le
convaincre d'accepter nos idées.

Lui faire partir la tête (Y faire partir la tête)

Se mettre violemment en colère contre quelqu'un.

Ex. : *Si le gars à côté n'arrête pas de parler pen-*
dant le film, j'va y faire partir la tête.

Ma blonde
Employé pour désigner l'amie de cœur.

Mais que
Expression signifiant quand, au moment où.
Ex. : *Je partirai mais que je sois prête.*

Maller une lettre
Poster une lettre.
Ex. : *Pourrais-tu me maller une lettre en passant ?*

Manger comme un défoncé
Avoir un appétit d'ogre.

Manger ses bas (Manger sé bâs)
Avoir de gros problèmes.
Ex. : *Paul a investi tout ce qu'il avait dans cette affaire. Malgré tout il a mangé sé bas.*

Manger ses shorts
Avoir de graves difficultés. (Shorts est employé au sens de slip.)

Mangeur de merde (Mangeu de marde)
Quelqu'un de prétentieux qui raconte des histoires pour se faire valoir.

Me niaises-tu là ?
Est-ce que tu te paies ma tête ?
Ex. : *Me niaises-tu lâ en me disant ça ou c'est la vérité ?*

Mets ça dans ta pipe et fume (Mets çâ dans ta pipe pis fume)
J'espère que ça t'en bouche un coin.

Mets-en...
Être d'accord, consentir, montrer une grande approbation.
Ex. : *Es-tu d'accord à ne rien débourser ?*
– *Mets-en.*
Ex. : *Tu te souviens lorsqu'on est allé à ce resto, c'était délicieux.*
– *Mets-en.*
Ex. : *J'étais ravi de sa visite.*
– *Mets-en, moi aussi.*

Mets-en, ce n'est pas du beurre de peanuts (Mets-en, cé pâs du beurre de pineute)
Quand on veut suggérer d'être plus généreux.

Mettre ça sur la glace (Mettre çâ su a glace)
Remettre quelque chose à plus tard.

Ex. : *Je n'ai pas le temps de m'occuper du dossier de l'assurance cette semaine, je vais mettre çâ su a glace.*

Mettre la balle sur le vert
Au golf, frapper la balle sur le green.

Mettre ses jewels (mettre ses djuwels)
(Mot anglais *jewel* : bijou)
Dans le langage populaire, porter des bijoux.

Mettre un enfant en pénitence
Le punir, le confiner dans sa chambre.
Ex. : *Antoine, si tu continues à me désobéir je vais te mettre en pénitence.*

Mince comme une hostie
Pour parler d'une personne très maigre, qui n'a que la peau et les os.

Moé y tou
Moi aussi.

Moi ou toi (moé ou toé)
Cette façon de prononcer le toi et le moi, est utilisée dans la rue, mais pas par tous. Rarement utilisé en public ou encore de façon écrite.
Ex. : *Moé pis toé ensemble, on est imbattables !*
Ex. : *Toé là, regarde pas ailleurs, c'est à toé que je parle.*

Mon chum (mon tcheum)

(De l'anglais *chum* : copain, ami)

1. Employé pour désigner l'ami de cœur.

Ex. : *Alors Claire, as-tu un nouveau chum ?*

2. Un ami, un copain.

Ex. : *Paul est mon meilleur chum.*

Mon enfant de chienne (Mon enfant d'chienne)

Expression vulgaire employée dans le même sens que mon enfant de pute.

Mon enfant de nanane (Mon enfant d'nanane)

Expression sans malice utilisée quand on est fâché contre quelqu'un.

Mon homme

Appellation amicale lorsqu'on parle à un copain. (Mon pote.)

Ex. : *Écoute-moi bien mon homme, t'aurais dû venir à la fête.*

Monter sur la tête

Manipuler quelqu'un, lui manger la laine sur le dos.

Ex. : *Écoute, tu dois prendre la place qui te revient. Ne te laisse pas monter sur la tête par les autres.*

Mon ti-blond

Autre formule amicale pour s'adresser à un ami.

Ex. : *Merci d'être venu mon ti-blond, c'est gentil de ta part.*

Mon ti-pitte

Petit mot doux.

Ex. : *Veux-tu me frotter le dos, mon ti-pitte ?*

Mon ti-pou

Mot d'affection.

Ex. : *Mon pauvre ti-pou, tu as encore mal au ventre.*

O

On ne peut pas pelleter la neige avant qu'elle ne soit tombée (On peut pâs pelter la neige avant qu'à soit tombée)

Vieux dicton exprimant qu'il ne faut pas appréhender les choses avant qu'elles ne se soient produites.

On n'est pas dans le feu (On n'é pâs dans l'feu)

Expression signifiant qu'on a tout le temps, qu'il ne sert à rien de courir ou de paniquer.

Ex. : *Prends ton temps, on va arriver à l'heure, on n'é pâs dans l'feu.*

On n'est pas sorti du bois (On n'é pâs sorti du bois)

Ne pas être au bout de ses peines.

Ex. : *Michel n'é pâs sorti du bois avec son fils, c'est un vrai délinquant.*

P

Parler dans l'cornet
Parler fort dans l'oreille afin de se faire bien comprendre.

Partir comme une balle
Décamper, partir à toute vitesse.

Partir comme un petit poulet (Partir comme un ti poula)
Mourir tout doucement.
Ex. : *Ma grand-mère est morte la semaine dernière. Elle est partie comme un ti poula.*

Partir en peur
1. Partir très vite.
2. S'emporter, se fâcher.

Partir sur la rumba
Aller faire la fête.
Ex. : *Ils partent sur la rumba au moins une fois par mois.*

Partir sur le party (Partir su l'party)
Bambocher.

Ex. : *Jean et Auguste sont partis trois jours su l'party.*

Partir sur les caps de roues
Partir en trombe.

Partir sur une balloon (Partir sur une balloune)
Aller faire la fête et boire beaucoup.

Ex. : *Après le mariage de Fernand, je suis parti sur une balloune avec mon meilleur copain. J'ai oublié toute une semaine de ma vie...*

Partir sur une go
Partir pour aller faire la fête.

Partir sur un runner (Partir su un ronneur)
(Du mot anglais *run* : courir)
Partir à toute vitesse.

Pas à peu près (Pâs à peu pra)
Beaucoup, sans demi-mesure.
Ex. : *Y fait beau pâs à peu pra.*

Pas avoir la langue dans sa poche
1. Avoir la langue bien pendue.
2. Ne pas avoir peur d'exprimer ses opinions.
Ex. : *Notre député n'a pas la langue dans sa poche... Il est capable de parler quand c'est le temps.*

Pas avoir une cenne
(Cenne pour le mot *cent*, pièce de monnaie sans grande valeur)

Ne pas avoir d'argent, être pauvre.
Ex. : *J'ai pas une cenne qui m'adore.*

Pas de guidi guidi
Signifiant ça suffit les histoires et les enfantillages.
Ex. : *Y a pâs de guidi guidi, tout le monde doit attendre son tour pour être servi.*
Ex. : *Ne me faites pâs de guidi guidi, dites-moi simplement ce qui est arrivé.*

Pas être barré à quarante (Pâs être bâré à quarante)
Pour parler d'un individu qui n'a pas froid aux yeux et qui n'a pas peur d'agir, peu importe les conséquences de ses gestes.
Ex. : *Lui, on peut dire qu'il n'é pâs bâré à quarante, rien ne l'arrête.*

Passer au batte (Pâsser au batte)
En prendre pour son rhume, écoper.

Passer au cash (Pâsser au *cash*)
(Mot anglais *cash* : caisse enregistreuse)
1. Se faire engueuler violemment.
2. Recevoir une bonne raclée.

Passer dans le beurre (Pâsser dans l'beurre)
Manquer son coup.
Ex. : *Quand j'ai voulu frapper la balle, j'ai pâssé dans l'beurre. J'étais très gêné...*

Passer ses licences (Pâsser sé licences)

Obtenir son permis de conduire.

Ex. : *Si je ne pâsse pas mé licences, je ne pourrai pas avoir l'emploi.*

Patcher un trou

(De l'anglais *to patch* : rapiécer)

1. Réparer un trou dans la chaussée.

2. Remplacer quelqu'un.

Ex. : *À l'école il va falloir patcher un trou, le professeur de français est en congé de maladie.*

Pâte molle

Quand on veut parler d'un individu qui est fainéant et paresseux.

Ex. : *J'ai rarement vu une pâte molle comme toi. Tu ne veux jamais rien faire pour aider.*

Patente à gosse

Un truc, un machin quelconque. Quelque chose qui ne fonctionne pas très bien.

Ex. : *Tu ne veux tout de même pas acheter une patente à gosse semblable.*

Patiner sur la bottine

Pour parler de quelqu'un qui essaie de convaincre mais en s'y prenant de façon maladroite.

Pédaler dans l'beurre

Faire des efforts inutilement, travailler sans résultats.

Ex. : *Je fais beaucoup d'efforts et de démarches mais rien n'arrive, c'est évident que je pédale dans le beurre.*

Perdre son bouchon

Expression parfois employée pour parler d'une femme qui, avant d'accoucher, perd ses eaux, le liquide amniotique.

Peser sur les pitons (Péser su lé pitons)

Appuyer sur les boutons.

Péter de la broue (Pèter d'la broue)

Se vanter, raconter des histoires.

Ex. : *Arrête de nous pèter d'la broue avec tes aventures amoureuses...*

Péter les fuses (Pèter lé fiouses)

(Du mot anglais *fuse* : fusible)

Disjoncter, perdre les pédales.

Peut-être bien (Ted bin)

Ex. : *Ted bin qu'on va y aller s'il fait beau.*

Pisser dans ses culottes

Expression utilisée dans le langage populaire pour parler de quelqu'un qui a beaucoup ri.

Ex. : *L'autre soir chez Serge, j'ai tellement ri que j'ai pissé dans mé culottes.*

Pogner l'fixe

1. Être perdu dans ses pensées.

2. Regarder quelque chose intensément et ne plus pouvoir en détacher le regard.

Pogner les nerfs
Perdre son sang-froid, se fâcher violemment.
Ex. : *Je ne pouvais plus l'entendre dire des fausse-tés sur toi, alors j'ai pogné lé nerfs et je l'ai foutu à la porte.*

Prendre son trou
En prendre son parti, obtempérer.
Ex. : *Il est mieux de prendre son trou, jamais il n'obtiendra l'accord de la direction.*

Pogner une dose
Dans le langage populaire, attraper une maladie transmise sexuellement.

Prendre un bon snack
(Adaptation du mot anglais *snack* : repas léger)
Bien manger.
Ex. : *L'autre soir chez toi, on a pris un bon snack.*

Prendre un break
(Mot anglais *break* : pause)
Faire une pause.
Ex. : *Arrête un peu, Paul. Tu te fais mourir au tra-vail. Prends un break, ça va te faire du bien.*

Prendre une botte à l'œil
Déshabiller une femme du regard.

Prendre une brosse

Se soûler, boire un bon coup.

Ex. : *Quand ma femme est partie, j'ai pris une méchante brosse. Trois semaines sans aller travailler.*

Prendre une chire

(Déviation du mot anglais *sheer* : à pic)

1. Tomber.
2. Avoir une débâcle en affaires.

R

Race de démone

Quand on veut parler d'une femme à la personnalité plutôt espiègle.

Ex. : *Mon amie Joanne, c'est une vraie race de démone. Elle cherche toujours à jouer un tour à quelqu'un.*

Raide pauvre

Complètement démuni, très pauvre.

Ramasser ses cliques et ses claques (Ramâsser sé clics pis sé clacs)

S'assurer que l'on a tout et partir.

Ex. : *Donne-moi deux minutes, le temps de ramâsser mé clics pis mé clacs, j'arrive.*

Ramasser ses petits (Ramâsser sé p'tits)

Partir, quitter un endroit.

Ramasser son argent (Ramâsser son argent)

Faire des économies afin de pouvoir se payer quelque chose qui nous fait envie.

Ex. : J'ai décidé de ramâsser mon argent pour aller en vacances l'été prochain.

Rentrer chez les sœurs (Rentrer chez sœurs)
Devenir religieuse. Entrer au couvent.

Ex. : Il y a quelques années, comme elle n'était pas encore mariée, ma cousine a décidé de rentrer chez sœurs.

Rentrer dedans (Rentrer d'dans)
1. Invectiver quelqu'un, lui tenir des propos très désagréables.

Ex. : Je me suis fait rentrer d'dans par le patron au bureau. C'était pas beau à entendre.

2. Faire la cour à une personne, chercher à lui plaire par tous les moyens.

Ex. : Le nouvel employé n'arrête pas de me rentrer d'dans avec ses beaux sourires et ses compliments.

Renverser les charges
Faire payer les frais d'un appel téléphonique par le destinataire.

Ex. : Si je te téléphone demain soir, est-ce que je peux faire renverser les charges ?

Rêver en couleurs
Penser à des choses ou imaginer des situations qui n'arriveront jamais. Se faire des illusions.

Ex. : Arrête de rêver en couleurs, tu sais très bien que tu ne deviendras jamais chanteuse.

Rider quelqu'un

   (Du mot anglais *ride* : au sens de dominer)

   Secouer un individu pour parvenir à lui faire faire quelque chose.

   Ex. : *J'ai été obligée de rider ma fille, pas moyen de la faire travailler à l'école.*

S

Sacre-moi la paix (Sacre-moi la pa)

Laisse-moi tranquille, tu m'agaces, je ne peux plus te supporter.

Sacrer patience

Laisser en paix, ne pas déranger.

Sacrer son camp

1. Partir précipitamment.

Ex. : *Il s'est mis à pleuvoir, j'ai sacré mon camp.*

2. Partir en colère.

Ex. : *Comme il ne disait que des conneries, j'ai sacré mon camp.*

Sacrer une volée

Administrer une bonne raclée.

S'attirer des bosses

Provoquer quelqu'un qui pourrait se venger en retour.

Ex. : *Je te préviens, arrête de me parler sur ce ton, tu t'attires dé bosses.*

Sauter au plafond
1. Sauter de joie.
2. Réagir violemment.

Se bourrer la bedaine (Se bourrer la bédaine)
Manger beaucoup et bien.

Se bourrer la face
Manger goulûment.
Ex. : *L'autre soir chez les parents de Nicole, Jacques s'est tellement bourré la face que j'en étais gênée.*

Se calicer de tout (Se câlisser de toute)
Se foutre de tout, s'en balancer.

Se casser le nez sur la porte (Se câsser l'nez su a porte)
1. Arriver devant une porte fermée à clé.
2. Frapper chez quelqu'un qui n'est pas là.

Se faire arranger le portrait
Se faire battre, recevoir des coups.

Se faire bourrer
Se faire raconter des histoires.

Se faire brasser le Canadien (Se faire brâsser le canayen)
Se faire réprimander, engueuler vivement.
Ex. : *Je me suis fait brâsser le canayen par un client hier. On n'avait pas encore reçu ce qu'il avait commandé il y a deux semaines.*

Se faire chauffer les oreilles
Se faire réprimander de façon violente.

Se faire crosser
Se faire avoir bêtement.

Se faire descendre
Faire nuire à sa réputation par des propos souvent faux et désobligeants.

Ex. : *Il l'a descendu comme s'il était un vaurien, j'ai aussitôt pris sa défense.*

Se faire du sang d'cochon
S'en faire outre mesure par rapport à une situation, s'inquiéter.

Ex. : *D'où viens-tu à cette heure ? Je me faisais du sang d'cochon.*

Se faire emplir
Laisser quelqu'un abuser de notre confiance.

Se faire exposer
Après la mort, le corps est embaumé et placé dans un cercueil. Ensuite il est transporté dans un salon funéraire ou mortuaire, où la famille et les proches peuvent venir rendre un dernier hommage. Ce rituel peut durer deux ou trois jours.

Ex. : *J'ai appris le décès de ton père, le faites-vous exposer ?*

Se faire faire la grande opération

Quand on veut parler d'une femme qui se fait opérer pour une hystérectomie.

Se faire faire un coup d'cochon

Se faire jouer un bien mauvais tour, se faire avoir.

Ex. : *Il m'a laissé tomber hier. C'est pas la première fois qu'il me fait un coup d'cochon semblable.*

Se faire faire une ou la passe (Se faire faire une ou la pâsse)

1. Se faire flouer.

Ex. : *Il nous a fait la pâsse, on n'a rien vu venir.*

2. Faire abuser de sa confiance.

Ex. : *De toute évidence, a dit l'avocat, il nous a fait une pâsse.*

Se faire fourrer

Se faire duper.

Se faire griller la couenne

Se faire bronzer.

Ex. : *Nous sommes allés en Floride, Paul a joué au golf et moi je me suis fait griller la couenne.*

Se faire jouer un cul

Se faire avoir.

Se faire laver

Perdre tout son argent.

Ex. : *Il est sorti complètement lavé de cette aventure en affaires.*

Se faire organiser
Se faire avoir.

Se faire passer un Québec (Se faire pâsser un Québec)
Se faire jouer dans le dos.

Ex. : *Si je n'avais pas réagi à la dernière minute dans cette affaire avec la société de Jacques, c'est sûr que je me faisais pâsser un Québec.*

Se faire passer un sapin (Se faire pâsser un sapin)
Se faire duper.

Ex. : *Je croyais avoir fait une bonne affaire en achetant cette voiture. Tu parles, on m'a plutôt pâssé un sapin. Je l'ai payée beaucoup trop cher. Je me suis bien fait avoir.*

Se faire poivrer
Se faire invectiver.

Se faire remonter la face
Dans le langage populaire, se faire faire un lifting.

Se faire serrer la vis
Se faire ramener à l'ordre avec sévérité.

Se faire siphonner
Se faire prendre quelque chose, de l'argent par exemple.

Ex. : *Les impôts lui ont siphonné tout ce qu'elle possédait, la maison, l'auto et le compte en banque. Quelle triste histoire.*

Se faire tirer la pipe
Être pris comme tête de Turc, se faire agacer sans méchanceté.

Ex. : *Ne prends pas ça au sérieux, c'est uniquement pour te tirer la pipe.*

Se faire une poque
Se faire un bleu ou une ecchymose en se cognant à quelque chose.

Se faire une prune
Se faire une bosse après avoir été frappé par quelque chose ou après s'être cogné la tête.

Ex. : *T'as une méchante prune dans le front ! Qu'est-ce qui t'est arrivé ?*

Se faire varloper
Expression utilisée dans le langage populaire pour dire que l'on s'est fait prendre de l'argent.

Se fende le cul (Se fendre le cul)
1. Déployer beaucoup d'efforts pour arriver à un résultat.

2. On peut aussi employer « ça me fend le cul » pour démontrer le mécontentement, la colère.

Se fendre en quatre (Se fende en quate)
Mettre tout en œuvre pour faire quelque chose ou pour satisfaire quelqu'un.

Ex. : *On a beau se fende en quate pour lui, c'est pas suffisant. Il n'est jamais content.*

Se fermer la trappe
Se taire.

Se grayer
1. S'habiller, se préparer pour sortir.
Ex. : *Allez, graye-toi, je suis prêt à partir.*
2. Acquérir, acheter quelque chose.
Ex. : *Passe à la maison voir ça, je me suis grayé d'un chien.*

Se grouiller
1. Se dépêcher.
Ex. : *Grouillons, grouillons les enfants, j'ai autre chose à faire aujourd'hui.*
2. Agir.
Ex. : *Qu'est-ce que tu attends, grouille-toi mon vieux, la vie est courte.*

Se gruger les ongles
Se ronger les ongles.

Se laver les pattes de d'vant
En langage familier, se laver les mains.

Se lécher la patte (Se licher la patte)
S'abstenir de quelque chose, s'en passer.
Ex. : *Nous sommes arrivés au magasin, plus rien. Tout avait été vendu, on s'est liché la patte.*

Se mettre sur son 36 (Se mettre su son 36)

Bien s'habiller pour être à son avantage.

Ex. : *Paul est toujours sur son 36. Il est toujours habillé à la dernière mode.*

Se mordre le front

Regretter amèrement.

Ex. : *Après lui avoir dit ce qu'il pensait, je suis certain qu'il s'est mordu le front.*

S'énerver le poil des jambes (S'énarver le poil dé jambes)

Perdre le contrôle d'une situation, s'énerver, paniquer.

Ex. : *Il ne faut surtout pas vous énarver le poil dé jambes avec ça. C'est très simple à faire, vous allez voir.*

S'enfarger dans les fleurs du tapis

S'arrêter à des détails sans importance.

Ex. : *En protestant sur une banalité pareille, je crois que le ministre s'enfarge dans les fleurs du tapis.*

Sentir le caltor

Sentir très mauvais.

Sentir le dessous de bras (Sentir le t'sour de bras)

Sentir la sueur. Le mot dessous est souvent déformé dans sa prononciation et remplacé par « sour ».

Passer sous la table devient : passer en « t'sour » de la table.

Sentir le ouistiti
Avoir l'odeur de quelqu'un qui ne s'est pas lavé depuis quelques jours.

Sentir le p'tit canard à patte cassée
Dégager une odeur désagréable.

Ex. : *Après avoir travaillé dans l'étable, tu devrais prendre une bonne douche. Tu sens le p'tit canard à patte câssée.*

Sentir le swigne
Pour parler de quelqu'un qui dégage une forte odeur de transpiration.

Se payer la traite
Se faire plaisir, en profiter.

Se payer un bon snack
Aller prendre un bon repas au restaurant.

Se péter la fiole
1. Se casser la figure.

Ex. : *Le bébé est tombé en bas de sa chaise et il s'est pèté la fiole.*

2. Subir un revers.

Ex. : *Ton candidat à la mairie s'est joliment pèté la fiole.*

3. Subir un échec.

Ex. : *Il a été beaucoup trop téméraire en affaires.*
Tu vois le résultat, il s'est pèté la fiole.

Se péter les bretelles
Être fier de quelque chose que l'on a fait.

Ex. : *Il a bien raison de se pèter lé bretelles, c'est*
lui qui est arrivé premier au concours.

Se piquer au beurre de peanut
Pour parler de quelqu'un qui fait des choses
bizarres et qui a un comportement saugrenu.

Ex. : *Quand ma femme prend un verre de trop, elle*
est tellement étrange, on dirait qu'elle se pique au
beurre de peanut.

Se piquer une trail (traile)
(Mot anglais *trail* : chemin, piste)
Se faire un chemin.

Ex. : *Il a fallu se piquer une traile dans la foule,*
sinon on était coincé pour une partie de la soirée.

Se pogner l'cul
Ne rien faire.

Se pogner le bacon
Attendre que quelque chose arrive, perdre son temps.

Se pogner l'moine
Être oisif.

Ex. : *Gérard est devant la télé, il n'a rien à faire, il*
se pogne le moine. Demande-lui de t'aider à tondre
la pelouse.

Ex. : *Un patron à des employés : « Ici, personne n'est payé pour se pogner le moine. C'est bien compris ? »*

Se pomper bien dure (Se pomper bin dure)
Se mettre violemment en colère.

Se prendre pour un autre
Se surestimer, s'attribuer des qualités et des valeurs qui sont bien au-delà de la réalité.

Se promener en bedaine (Se promener en bédaine)
Sortir torse nu.

Ex. : *Hier il faisait tellement chaud, je suis sorti en bédaine.*

Se ramasser les quatre fers en l'air (Se ramâsser lé quatre fers en l'air)
Faire une chute violente et se retrouver sur le dos.

Se rincer le gorgotton
Boire quand on a soif.

Se revirer de bord (Se r'virer de bord)
Dans une situation difficile, pouvoir trouver d'autres solutions aux problèmes existants.

Serrer les ouïes
Réprimander, corriger, punir.

Ex. : *Cet enfant est insupportable, sa mère devrait lui serrer lé ouïes.*

Ex. : *Cet employé prend un peu trop de liberté, faudrait lui serrer lé ouïes.*

Se sortir les nerfs du cou

Dans le langage populaire, expression très imagée employée quand on veut dire que quelqu'un est tellement en colère qu'il a le visage et le cou crispés.

Ex. : *L'autre jour, Jean était tellement fâché contre son frère qui venait de lui bousiller sa moto, qu'il en avait lé nerfs du cou sortis... C'était pas beau à voir.*

Se sucrer le bec

Se gaver de sucreries, de friandises, de pâtisseries.

Se taper sur les genoux (Se taper sur lé g'noux)

Pour parler de quelqu'un qui rit aux éclats.

Ex. : *L'autre jour quand je suis tombée, Marcel a tellement ri de moi qu'il se tapait sur lé g'noux.*

Se tirer une bûche

Vieille expression utilisée pour inviter quelqu'un à s'asseoir.

Autrefois, dans les camps de bûcherons, il n'y avait pas beaucoup de chaises. On se servait plutôt de grosses bûches en bois rond. D'où l'expression se tirer une bûche.

Ex. : *Un ami arrive à la maison : Salut jean, quel plaisir de te voir. Tire-toi une bûche !*

Ex. : *Tirez-vous une bûche, mon ami, la discussion risque d'être longue.*

Se virer à l'envers

Se mettre dans tous ses états.

Se virer sur un dix cennes

La pièce de dix cents est la plus petite de la monnaie canadienne. Donc, quelqu'un qui peut se virer sur un dix cennes, c'est qu'il est très débrouillard et qu'il peut maîtriser la situation.

Slaquer sa ceinture

Relâcher, desserrer une ceinture pour être plus à l'aise.

Ex. : *Hier soir j'ai tellement mangé, il a fallu que je slaque ma ceinture.*

Son chien ou son chat est mort

Quand on parle de quelqu'un dont la situation est désespérée, sans issue.

Sortir les vidanges

Sortir les poubelles.

Sur le bras (Su l'bras)

Avoir quelque chose gratuitement.

Ex. : *Venez les gars, la bière c'est su mon bras. C'est moi qui paie.*

Ex. : *Ici je suis toujours le bienvenu. Je mange su l'bras à tous les midis.*

Ex. : *C'est pas sérieux. Vous croyez que je vais faire ce travail sur le bras ? Ça va pas ?*

Swigne la baquaise dans le fond de la boîte à bois
(Swigne la baquaise dans l'fond d'la boîte à bois)

Expression utilisée autrefois dans le cadre de fêtes où l'on dansait beaucoup. En fait, les hommes faisaient tourner les femmes (la baquaise) si vite qu'elles perdaient l'équilibre et allaient choir dans la boîte où l'on entassait les bûches pour le feu (le fond de la boîte à bois).

T

Taper la gueule

Donner une raclée.

Taper sur le système (Taper su l'système)

Taper sur les nerfs, déranger, agacer.

Tenir une barbotte

Avoir un endroit clandestin pour les joueurs de cartes et les parieurs.

Ex. : *Autrefois mon oncle Henri tenait une barbotte au village voisin. Tu serais surpris de connaître les noms de ceux qui la fréquentaient.*

Tête carrée

1. Pour désigner quelqu'un qui ne veut rien comprendre.

2. Au Québec, qualificatif que donnent les francophones aux anglophones.

Tête d'enclume

Quand on veut parler de quelqu'un qui n'en fait toujours qu'à sa tête et qui est très têtu.

Tête enflée

Individu très vantard qui se prend pour le nombril du monde.

Tête heureuse

Personne ayant peu de jugement.

Ex. : *L'autre jour, un piéton s'est jeté directement sur ma voiture. J'ai juste eu le temps de freiner. Une vraie tête heureuse.*

Tirer à gauche

Tourner à gauche.

Tirer la chaîne

Tirer la chasse d'eau.

Tirer la plogue

(Du mot anglais *plug* : prise électrique)

En finir avec une situation.

Ex. : *Mon association avec Pierre n'est plus possible. Je pense que je vais tirer la plogue.*

Tirer les vaches

Traire les vaches.

Ex. : *Sur sa ferme, Claude se lève à quatre heures tous les matins pour tirer les vaches.*

Toi et moi (Toé pis moé)

Ex. : *On se connaît depuis longtemps toé pis moé.*

Toi là (Toé lâ)

1. Expression utilisée pour démontrer de l'impatience envers quelqu'un.

Ex. : *Ah ! toé lâ, tu m'énerves.*

2. Ou tout simplement pour s'adresser à une personne.

Ex. : *Toé-là, écoute-moi bien.*

Toffer un boutte

(Francisation du mot anglais *tough* : rude, dur, difficile)

1. Endurer un certain temps, une situation, un individu ou quelque chose qui nous déplaît beaucoup.

Ex. : *Si tu veux avoir de bons résultats, il faut que tu toffes (que tu persistes, que tu continues).*

Ex. : *Toffe tant que tu pourras, ça vaut la peine.*

2. Parlant d'un jeune délinquant on peut aussi dire :

Ex. : *C'est un garçon toffe (difficile, dur).*

Tomber dans un mal (Tomber din mal)

Quand on veut parler d'un individu qui fait une violente crise de colère et qui perd le contrôle de la situation.

Ex. : *Quand Alain a appris que sa femme le trompait, il a fait une crise épouvantable. Il était tellement en colère, on aurait dit qu'il tombait din mal.*

Tomber en amour

1. Tomber amoureux.

Ex. : *C'est l'été dernier que Marc est tombé en amour avec Louise. Ils sont ensemble depuis ce temps.*

2. Craquer pour quelque chose.

Ex. : *Quand j'ai vu la robe rouge dans la vitrine de la boutique, je suis tombée en amour avec. Il fallait absolument que je l'achète.*

Tomber sur le gros nerf (Tomber su l'gros nerf)

Expression utilisée pour parler d'une situation ou de quelqu'un qui est insupportable.

Ex. : *La compagnie d'assurances ne m'a pas encore remboursé pour ma télé. Ça commence à me tomber su l'gros nerf.*

Ex. : *J'ai un nouveau petit ami. Ça fait à peine une semaine que je le connais. Il fait tout pour être aimable et gentil, mais il me tombe déjà su l'gros nerf.*

Tourner les coins ronds

Faire un travail à moitié.

Ex. : *J'ai dû congédier la femme de ménage, je trouvais qu'elle tournait lé coins ronds.*

Travailler sur les chiffres

Pour parler d'une personne qui a différents horaires de travail. Par exemple, de huit heures à seize heures pendant deux semaines, de seize heures à minuit deux autres semaines et de minuit à huit heures encore deux semaines. Et ceci en rotation avec les autres employés.

Ex. : *Ma belle-sœur est infirmière à l'hôpital de banlieue, elle travaille sur les chiffres. Cette semaine elle est de minuit à huit heures. Elle trouve ça très fatigant.*

Truster

(Du mot anglais *to trust* : avoir confiance)

Faire confiance.

Ex. : *En affaires c'est très important d'avoir des partenaires qu'on peut truster complètement.*

U

Un conteux de pipes
Individu qui raconte des histoires, des mensonges.

Une fille bien shapée (Une fille bin shapée)
(Du mot anglais *shape* : forme)

Quand on veut parler d'une jeune fille au corps de déesse...

Ex. : *À la plage il y a toujours des filles bin shapées.*

Une p'tite vite
Expression utilisée dans le langage populaire pour parler d'une relation sexuelle très rapide.

Une tape sur la margoulette (Une tape su a margoulette)
Un coup donné à la figure.

Ex. : *Mon voisin est tellement arrogant, il ne mérite rien d'autre qu'une bonne tape sur la margoulette pour lui replacer les idées.*

Une vieille ma tante
Expression pour désigner une dame d'un certain âge encombrant la circulation au volant de sa voiture.

Ex. : *As-tu vu la vieille ma tante devant nous, elle empêche tout le monde de rouler.*

Une vieille sacoche
Qualificatif que l'on donne à une vieille dame peu aimable.

Une vieille touffe
Vieille dame peu agréable.

Une vieille toupie
Vieille dame insupportable.

Ex. : *Ma voisine est une vieille toupie. Elle fait tout pour me casser les pieds.*

Un logis chauffé éclairé
Appartement où le chauffage et l'électricité sont pris en charge par le propriétaire. Le montant du loyer à payer comprend tout sauf les frais pour le téléphone.

Un tireux de pipes
Individu qui ne tient que des propos légers, qui est blagueur et pince-sans-rire.

Ex. : *Dis-moi, cette cravate tu l'as reçue en cadeau... En fait elle est tellement affreuse, tu ne l'aurais sûrement pas achetée toi-même...*

Un vieux ragoût
Quand on veut parler d'un homme âgé très désagréable.

Ex. : *Une espèce de vieux ragoût m'a bousculé dans le métro pour prendre ma place. Je l'ai engueulé.*

V

Va chez le bonhomme (Vâ chez l'bonhomme)
Expression impolie, employée pour envoyer promener quelqu'un.

Va dire ça aux pompiers, ils vont t'arroser (Vâ dire çâ aux pompiers, y vont t'arroser)
Expression utilisée dans le langage populaire quand on veut parler d'un individu qui essaie de raconter des histoires mais que l'on ne croit pas, évidemment. Le mensonge semble tellement évident que personne ne le croirait de toute façon. D'où la suggestion d'aller raconter ça aux pompiers qui, eux, l'arroseront.

Va péter dans les fleurs (Vâ pèter din fleurs)
Employé lorsqu'on veut envoyer promener quelqu'un gentiment...

Vas-y mon oncle
Expression populaire rejoignant « Allez Simone ».

Viens t'coller
Viens près de moi.

Ex. : *Viens t'coller un peu, je ne t'ai pas vue de la semaine. Tu m'as manqué.*

Virer sur le top (Virer su l'top)

Perdre la tête.

Ex. : *Quand la femme de Jérôme est morte, il a complètement viré su l'top.*

Visser dans l'plancher

Expression populaire que l'on utilise pour demander à quelqu'un de rester tranquille, de cesser de bouger dans tous les sens, d'être moins turbulent, sinon… on va le visser dans le plancher.

Voir la binne

Regarder l'expression du visage d'une personne.

Ex. : *As-tu vu la binne du gars quand je lui ai demandé s'il voulait danser ?*

Voir la lune en plein jour

Souvent employé dans le langage populaire lorsqu'on voit les parties intimes d'une dame de façon inattendue. Par exemple, le vent soulève sa jupe et on voit qu'elle ne porte pas de slip…

Voyager sur le pouce (Voyager su l'pouce)

1. Aller au travail en faisant de l'auto-stop.

2. Partir en voyage en stop.

Ex. : *L'été dernier, mon fils Éric et son copain ont fait le tour de la France sur le pouce. Ils ont beaucoup aimé l'expérience.*

Y

Y donner son 4 %

1. Congédier un employé.

Ex. : *Mon cher ami, à cause de cette crise écono-mique, je n'ai pas d'autre choix que de vous donner votre 4 %.*

(Au québec, selon la loi, tout employé remercié de ses services doit recevoir en plus de ses semaines de salaire 4 % du montant total accumulé durant la dernière année.)

2. Rompre une relation amoureuse.

Ex. : *Honnêtement, ce n'était pas mon type d'homme, après trois mois, je lui ai donné son 4 %.*

Y goûter

Goûter à la médecine de quelqu'un, en prendre pour son rhume.

Ex. : *Avec la journée que tu viens de me faire pas-ser mon gars, attends que ton père arrive, tu vâs y goûter.*

Table des matières

Introdution 7

MOTS POPULAIRES 9

EXPRESSIONS POPULAIRES.................................... 107

CET OUVRAGE A ÉTÉ REPRODUIT
ET ACHEVÉ D'IMPRIMER SUR ROTO-PAGE
PAR L'IMPRIMERIE FLOCH À MAYENNE
EN MAI 2002

Éditions du Rocher
28, rue Comte-Félix-Gastaldi
Monaco

Dépôt légal : février 2000.
N° d'édition : CNE section commerce et industrie
Monaco : 19023.
N° d'impression : 54375.